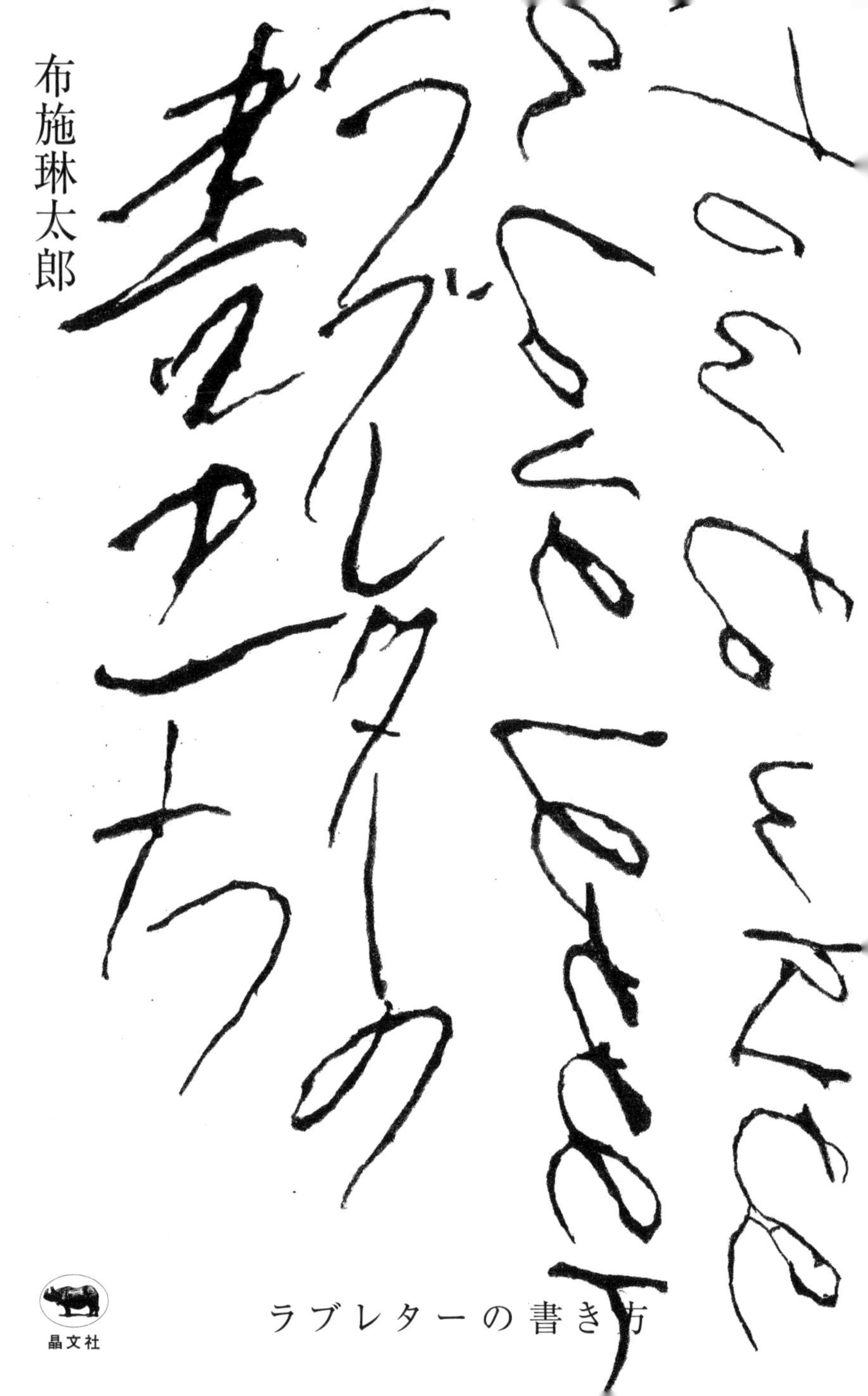
how to write love letters
ラブレターの書き方
布施琳太郎
ラブレターの書き方
晶文社

ラブレターの書き方　目次

はじめに

僕はゲームをして、ニコニコ動画やアニメを見て、そこで得た感覚をブログに書くのが好きな少年だった。アクセス数が増えると嬉しかったし、そのための創意工夫が楽しかったんだと思う。ブログの見出し画像を作るのが最初の制作だった。そんな中学生だった。自分の部屋という世界、そこからすべてがはじまった。

だけど、高校をサボって、東京行きの電車に飛び乗って見に行った展覧会は訳がわからなくてワクワクした。それは僕の好きなゲームの宣伝漫画を描いていたイラストレーターの展覧会だった。オープニングイベントとしてライブペインティングをはじめた彼は、壁一面に無数の直線を引きはじめた。抽象的でよく分からなかった。どこにもキャラクターはいない。強いて言うなら漫画のコマ割りの線のように見えたが、それよりは数学の授業のときの黒板に似ているように感じた。陽が沈むまで彼の手元を見ていた。気がついたら壁の上で大きなキャラクターが笑っていた。かっこよくて僕も笑ってしまう。最後にサインをねだりつつ、「最初の直線って、なんだったんですか?」と聞くと、これまで聞いたこともないようなキュビズムの画家の名前をあげながら「ダブステップって音楽知ってる？　あの感じでさ、絵を描きたかったんだよね。クラブで音楽を聴く感じで、画面のなかを踊りたくてさ」と彼は答えた。

キュビズムもダブステップも知らなかったし、クラブなんて行ったこともない。どうして前世紀の絵画の表現様式とコンピュータで作られるダンスミュージックが、彼のイラストレーションと関係するのか分からなかった。だけど、あのときの僕は確かに興奮していたように思う。家に帰ると、彼が教えてくれたミュージシャンの曲を聴きながら、キュビズムについて調べた。画面を横切る線が、音楽と重なり合って見えた。パソコンの前で少しだけ頭を揺らすと、心拍数が上がる。それから僕はゲオに通ってＤＶＤとＣＤを借りるようになった。ひたすらブックオフで立ち読みした。YouTube や Tumblr を巡り続けた。自ら進んで展覧会や実験映画を見るようになった。全部がメチャクチャで訳が分からなかったけれど、そういう営みが世界にあることを知ったのである。あの日の東京遠征は、その出会いは、かけがえのないものだった。

現在の僕が活動するのは、いわゆる「現代美術」や「コンテンポラリー・アート」と呼ばれる領域である。それは西洋を起点に世界中にひろがっていった芸術表現のあり方の一つだ。しかしこれまでの数百、数千年のあいだに夥しい（おびただしい）ほどの作品が作られたわけで、普通に考えれば今更なにかをする必要なんてないと思うだろう。ダ・ヴィンチ、葛飾北斎、ロダン、ピカソ。過去には素晴らしい芸術家が沢山いて、既に無数の作品があるのに、まだ何かを世界に付け加える必要があるのか、と。

当たり前だが、最初は芸術の意義なんて考えていなかった。あの日、高校をサボった僕が2時間半くらい電車に揺られて見に行った展覧会で、壁の上にひろがっていった直線たちとキャラクター、そしてキュビズムとダンスミュージック。そういうものたちのあいだを行き来しながら思考して、何かを作るイラストレーターの徹底的な自由に感化されただけである。彼の自由を僕も体験したかった。気がつけば自分はイラストレーターではなくアーティストの道を選んでいたが……それはもしかしたら彼が展示していたギャラリーを運営していたのがアーティストだったことも影響しているかもしれない。絵を描いて、場所を作って生きるのは楽しそうに思えた。だけど理由を決めつけるよりは「運命」って言葉が一番しっくりくる。

今日まで自分なりに活動してきた。作品制作だけでなく批評の執筆、詩集の刊行、展覧会やイベントの企画などをしていると、人が見てくれて、温かい朝食を食べたり読みたい本を買うことができるようになった。とても楽しかった。そうして芸術というのが何なのかを根本的に考えるようになった。そして周囲を見た。

そこにあったのは荒廃した世界だった。

望んでいたのは自由である。しかし自由からかけ離れた荒野が周囲にひろがっていた。人が人を縛り、些細な言い間違いを指摘し合って、自分の利益を最大化しようとする地獄。もはや現代美術は、過去の事例や議論の整理か、美的あるいは政治的な良し悪しを示し合うことで、日銭を稼ぐだけの業界内政治の場所になってしまっていた。アーティスト活動は「お仕事」になっていた。誰かに希望を与えることをやめてしまっていた。整理と提案。そんなことがしたくて芸術を志したわけではない。

あの日、壁の上で直線を踊らせていた彼はもっと自由だった。そこで笑っていたキャラクターのようなものを、僕も作りたかっただけだった。彼の言葉は、その制作論は、一人の若者に希望を与えてくれたのである。「世界はもっと面白いんだ」。そういう気持ちになる人が増える活動がしたかった。

*

私たちはネットワークへと接続され、世界は断絶されている。それなのに、誰一人として、人類がよって立つための足場を作ろうとしていないのではないか？　そんな危機感が胸を焦がす。政治や経済ですら最適かつ最上のシステムを構築できていないのと同じように、芸術もまた未解決なのだ。そうであるなら整理と提案ではなく、実践と挑戦をすべきだという前提すら共有されていないように感じる。芸術のなかでも、最も先鋭的な挑戦が許され、求められ、そして自由な思考へと身を投じることができるのが現代美術だと思ったのだが、それは勘違いだった。もちろん現代美術を通じて多くのことを学んだ。知らなかったことを知って、こうして本を書けるようになった。しかし、もはや現代美術は、ただの産業の枠組みである。

実際、現代美術に限らず芸術は国民国家や企業、既存の社会集団の利益を最大化するための広告装置(プロパガンダ)として用いることができるし、そうして利用されてきた歴史がある。しかしそれだけが芸術の役割ではない。いくつかの表現行為は、そうした広告化に抗ってもきた。むしろ抗わなければ、芸術は広告にしかならないのだ。イラストレーターの彼が、わざわざ個展をして、そこで自分なりに大切だと思う要素たちを組み合わせて実験をする姿は、まさにそうした抵抗だった。衣食住を維持するためにイラストを描くことを仕事にしているのだとしても、それ自体が喜びだとしても、あの展覧会は、彼の線の自由のためにあったように思う。直線からはじめること。それだけのことが一人の若者を遠くまで連れ出してしまったのだ。

しかし気がつけば、同年代で芸術活動や文筆業を行うものたちは、外国語文献の精読と過去の議論の整理ばかりしていた。たしかに重要な仕事だが、私たちの生の困難は置き去りにされている。一方で、そうしたアカデミックな仕事から離れたところで芸術活動を行う表現者たちは、どのようなモードが流行っているのか、流行りそうなのかばかり考えており、そもそも「流行が作られる」ことの原理を問い直さない。つまりゲームのルールを変える気がない。既存のゲームのなかで、それぞれの美学を示し合うだけのシーンに僕は愛想を尽かしている。

だから僕の手にはあまるとしても、人類全体のための足場を組み立てる必要があると思ったのだ。見通しを立てなくてはならない。人々が誘惑され、批判したくなるような足場が必要なのだ。

これから「ラブレターの書き方」を考えることになる本書は、あらゆる領域で思考し、活動し、生活する人々のための制作論たることを目的としている。思考がジャンプして、一見無関係に思える物事が紐づけられていくだろう。過ちを恐れず、自らの専門性から飛び出して、無数のテクストや芸術と出会い直していくことになるだろう。そうして徐々に形作られていくラブレターの歴史。異性愛規範や性関係を超えて再定義される「ラブ」。そして恋人たちの世界。そのための制作論。僕が行うのは、過去や流行の整理でなければ、考えるべきポイントの提案でもなく、あくまで「世界はもっと面白いんだ」という驚きのためだけになされる挑戦であり実践だ。あの日、壁の上で踊っていた線のようにこれ以降の議論は展開されるだろう。

しかし本書のタイトルに惹かれて本書を手に取ってくださった方にとって、この書き出しは違和感があるかもしれない。だがこれ以降、現代美術の話はしない。なぜなら、そんな焼け野原について語るべきことは何もないからだ。だが芸術について語らないわけではない。それはすべての生に関係しうる。

僕は本書を通じて、芸術のなかに、ラブレターという非産業的な枠組みを設定することを試みる。それは、もはや何の役にも立たない現代美術とは異なり、あなたの芸術の制作論、あるいは人生の設計思想となり得るものだ。

これから私たちはラブレターを通じた、世界のリバース・エンジニアリングを開始する。本書『ラブレターの書き方』は、数百年前の西洋社会ではじめての美術館が成立したのと同じように、社会のなかでアクチュアルな芸術の枠組みを改めて成立させようとする試みである。

序章　二人であることの孤独

二人であることの困難

あなたは誰かと二人になることができるだろうか？

久しぶりのデートなのに、テーブルに運ばれてきたパフェを様々な角度で撮り直すことに腐心するカップル。二人でいることは楽しいし、デートができて嬉しい。だからこの思い出を「ストーリー」に投稿したい。Instagram のために溶けていくバニラアイス。透明なグラスが白く濁っていく。少しやわらかくなったアイスを口に運びながら、さっき撮った写真に恋人のアカウントをタグ付けする……こうした景色はなんら特別なことではなく、ありふれたものである。しかし二つのパフェとスマートフォンを挟んで向き合うカップルは、本当の意味で「二人」なのだろうか？　そのバニラアイスは、なんのために溶けていったのだろう。

あるいはデートではなく友達との二人旅行を計画するとしても、自分たちが楽しいか否かだけでなく「○○と一緒にいる写真をＳＮＳに上げたら△△が嫌がるかも」「だけど自分だけ写真を投稿しないとヘンに思われるし」といった人間関係を前提とした思考が働くこともあるかもしれない。そうであるのなら、旅行に行ったとしても「二人きり」になることはできていない。

もしもあなたが「二人きり」を経験したことがあるのならそれは幸運なことだと思う。しかし現代において「二人であること」は不可能になってしまったように思える。すべてがつながった社会のなかで、二人であることは難しい。ここで言う「二人であること」とは、二人だけが共有する孤独へと入っていくことだ。だがソーシャルメディアを介した苛烈な相互監視と暴走する疑心暗鬼によって、もはや私たちは二人であることに罪の意識すら感じるようになってしまった。「二人であること」が「社会」にからめ取られ、「みんな」につなげられていく。そうした危機感が僕のなかにはある。

ラブレターの書き方を考える第一の理由は、ソーシャルメディアが浸透した社会において「二人であることの孤独」を創出するためである。それはロマン主義的で西洋近代的な孤独とは異なる「新しい孤独」だ。孤独の再発明と言っても良いだろう。

結果から述べて、ラブレターを書こうとし、実際に執筆して、そして勇気を出して送るのなら、そのときのあなたは「二人」という単位を経験することができるだろう。ラブレターを通じて制作されるのは「小さな共同体」という程度のものではない。そうして経験される「二人であること」は、あなたの手で制作された共同体の最小単位である。

もしも「二人であることの孤独」を回復できたなら、それは現代における革命なのかもしれない。本書の執筆はそんな直感からはじまった。

「革命」と聞くと、支配者を殺したり、街頭に集まったりすることを想像するかもしれない。だが既存の権力からの解放が、そのまま革命の成功へと直結するわけではない。そもそも建造物の占拠、ビラ配り、権力者の殺害というのは過程であり手段に過ぎない。革命の本質は破壊ではなく価値の再構成なのだ。そうでなければ革命は無目的な暴力になってしまう。私たちは再構成された価値観を通じて、新たな法を作ることができる。だから例えばアメリカ革命において最も重要なことは、既存の権力の解体ではなく、合衆国憲法が生じたことにある。転倒し、変化する価値観。構成された自由。もう元に戻ることはできないような徹底的な世界の変質、いや、世界の制作。法を書くとき、革命は成功する。[1]

つまりここで言う「革命」とはクーデターや内乱、戦争のことではなく、権力の再構成によって制作される自由のことである。そこには言葉が必要だ。

法は、憲法のようなかたちを取るものだけではない。1冊の本を読んでからそれまでのように生活できなくなってしまった若者、メールを交わしているうちに自分と相手の距離を忘却したカップル、学生時代に連れ添った恋人から送られた言葉が何十年経っても頭から離れない還暦の女性……それらもまた（個々の良し悪しは置いておいて）革命の成果である。そのとき、その人は、新たな法を経験したのだ。法は新たな空間を創出する。

そしてラブレターを書くことは、既存の世界に対して誰もが実践可能な法の構築、つまり革命の形式であると僕は考えている。それは「二人であることの孤独」という共同体の最小単位を、既存の社会の内外に構成するのだ。

本書の執筆に先立つ直感とはこのようなものだった。

しかし僕が直感した、法としてのラブレターとは、あくまで再構成された価値観のことであって、裁判所で行使される司法のようなものではない。

むしろラブレターは「私」と「あなた」が一体となろうとする力学において特徴付けられるため、人を原告と被告へと分ける司法とはまったく異なるものである。アメリカ革命もまた、革命とはなにかを説明するための限定的な例示に過ぎない。「私たち」の同一性を制作し、どう足掻いても逃れられない差異を越えるために言葉を探すとき、そこにあるテクストこそがラブレターなのである。

そしてラブレターを通じて、それまでの「私」は消滅する。この消滅の原因であると同時に、消滅以降の世界を生きていく力となることが、僕がラブレターに魅了された理由である。つまりラブレターは、私とあなたが一体となろうとしながら、それまでとは異なる状態へとそれぞれに移行し、そして互いの差異を見つけ直しながら、過去の二人が消滅した世界で、それでも愛し合うためのテクストなのだ。

ラブレターの革命可能性という考えは、国家をはじめとした単一の共同体にのみ私たちが属すわけではないという当たり前の前提に支えられている。私たちは複数の共同体を行き来しながら生きている。それぞれの「私」は、複数の「私たち」に属している。だがそうした複数性こそが「私」にとっての生の困難であることは否めない。すべてが複数性のなかへと溶けていくからこそ「二人であること」は困難なのだ。あの日のバニラアイスのように。

そうであるのなら、最小単位を知る必要がある。共同体の最小単位を起点として、その複数性と向き合い、世界を再制作するためにラブレターについて考えたい。

すべてが物語になる

繰り返しになるが「二人であること」は困難に晒されている。その孤独は失われている。

スマートフォンをはじめとした小型の情報端末とソーシャルメディア、つまりウェブ・プラットフォームの浸透によってすべてが接続され、顔のないストーリーテラーが蔓延る今日の社会。そこではあなたの人生も出自も帰属先も、すべてが物語化されていく。なにかとつなげられて、固定化される。そのストーリーに綻びや過ちがあれば、あなたが有名か無名かにかかわらず、激怒した匿名の人々による厳しい批判に晒されることになるだろう……炎上だ。それは今日もどこかで起きている。

さらに今日のソーシャルメディアは、個々の人生と同じように、国家の盛衰や政治的なイデオロギーまでを様々に物語化する。もはやただひとつの正義や正史を定義することは難しい。そして恐ろしいことにストーリーは無限のバリエーションを持つ。歴史的事実や科学的事実（とされていたもの）は、ソーシャルメディアにおいて常に解釈され、読み替えられ、それまで無関係だった出来事へとつなぎ直される。そこでつむがれたストーリーは人々の対立を煽る。

そうして接続と断絶の相互作用のなかで生じるストーリーは、その都度に人々の属性を固定化するのだ。

しかしストーリーテラーは、単独の人間どころか二人でも、組織や集団でもない。気がつけばすべてが接続されたネットワーク自体が語り続けているのである。それはあなたのスマートフォンを覗き込めばすぐに理解できることだろう。すべてはつながっているのだ。いつの間にか接続こそが断絶に、断絶こそが接続になった。すべてが溶けてストーリーになる。もはや「歴史（＝事実）」と「神話（＝虚構）」の区別は存在しない。

もちろんそうした非人称で顔のないストーリーテラーは、インターネットの向こうの薄暗い寝室でほくそ笑む陰湿な個人でも、秘密結社や隠された国家機関でもない。たしかに軍事的な物語工場の存在も報告されている。[2] それは対立する政治勢力に対して、高度な陰謀論を供給することで敵のコミュニティを内破させようとする物語工場だ。[3] しかしその工場は、ソーシャルメディアの力を自分たちのために活用するだけである。工場はストーリーのきっかけでしかない。最終的な語り手に顔や名前、身体はない。すべては自動的に拡散する。

なにより恐ろしいのは工場で生産された虚実入り混じったストーリーが実際に機能してしまうことだ。ソーシャルメディアは、それ自体がストーリーの実行環境かつストーリーテラーなのであり、それがなければそもそも物語工場が作られることもなかった。私たちの敵対を煽る者は実在しない。非在の語り手は、すべてを接続しながら断絶させることで「二人であること」などという私的領域を破壊する。

今日よりも明日が、今年よりも来年が良くなると思いたい。だが逃げ場はなく、絶望的な現在に閉じ込められている。見えないところにいる悪意を持った誰かがあなたを監視し、悲劇の主人公にするかもしれない。そんな恐怖のなかで、どうにか今日を切り抜けようとする日々……私たちはつながっている。それが絶望の理由だ。

一人でも、みんなでも、このつながりから脱出することはできない。無限の情報と感情が私たちのスマートフォンへと流れ込んできて、思考をショートさせる。

こうした社会において「あなた」は矛盾した立場を強制される。

まずあなたは高い自律性を持った個人であることを強制されるのだが、それと同時に、ある共同体に従属することも強制されるのだ。ここで言う共同体とは、国家や思想、ジェンダーやセクシャリティ、ある出来事の当事者性、生まれ持った経済的な条件などの属性によって規定される同質的な人々の集まりだ。個人であろうとするときには共同体の一員とされ、なんらかの共同体の一員だと思っていたら個人として発言することが要求される。

もはやあなたは一人で孤独になることすらできない。あなたの属性は、あなたの生と無関係に切り替わっていき、そしてあなたの同一性を切り裂いていく。そうした複数的な属性のスイッチングを可能にしてしまったのが、ソーシャルメディアである。そこで冷静な思考をすることは不可能だ。

ストーリーにあふれたネットワークのなかに「二人」という単位はない。既成のラベルが貼られて、望んでもいない共同体の一員にされてしまうからだ。彼氏、彼女、パートナー、親、子、親友、敵、味方、国民、被害者、加害者……もしもそのラベルを共有する集団にとって理想的でない出来事があれば、無関係な人間が雪崩れ込んできて、すべてが破壊される。「あなたは傷つけたんですよ？」。身体のないネットワークが喋りはじめる。

もちろん人を傷つけてはいけない。しかし傷ついていけないわけではない。僕の傷が誰かに持ち去られるのは耐え難い。だがソーシャルメディアにおいては、傷つけることだけが個人に紐づけられ、傷つくことは個人から引き剝がされる。たしかに家庭内暴力や抵抗しようのないハラスメントなど、第三者が介入しなくてはならない状況があるのは事実だ。際限ない暴力による傷はケアされるべきである。そのために法律や制度は活用されるべきである。

しかしそのケアはソーシャルメディアによる物語化が担うものではない。法的・倫理的な疑いをかけられた人物の個人情報をソーシャルメディアのユーザーが調べ上げて拡散することで罰することは、中国では「人肉検索」と呼ばれるが、そうした私刑が問題を解決するわけではないだろう。

むしろそこで失われるのは傷つく権利であり、誰かの傷がその人自身のものでなく、共同体のものになる暴力が蔓延っている。つながりのなかで生成され続けるストーリーは、あなたや私の孤独を不可能にする理由となるのだ。顔のないストーリーテラーは謝罪や反省、あるいは赦しの可能性すら奪ってしまう。

だから危険なのだとしても「二人であることの孤独」が、なにを意味するのか考えてみたい。「一人」でも「集団」でもないところで生じる、人と人が「二人であること」を可能にするかもしれないラブレターについて考えたいのだ。そうした共同体の最小単位からリバース・エンジニアリングされた「私」について、思考をしたい。

例えば、本当に「二人きり」のとき、ジェンダーはどのように機能するだろうか。ある二者関係がソーシャルメディアによる物語化から逃れつつ、しかし持続するとき、何が起こるだろうか。ジェンダーが社会的に規定されたものであるのなら、私たちは「二人であること」にとどまることで、性器的な二元性、あるいは数十種類のジェンダーの分類から一時的に脱出することができるかもしれない。社会を根拠にできないくらい究極的な「二人」のあいだでは、どのような既成のラベルを貼ることも不可能なのだ。そこでは、すべての差異、属性から解放された同一性への回帰が生じる。いや、言葉すら消滅するだろう。ただ沈黙のなかで人と人が見つめ合って、手を合わせることの幸福は「二人であることの孤独」の比喩であり実践だ。

しかしそのためには二者関係の外部にある社会や人間関係などが捨て去られる必要がある。つまり「二人であることの孤独」の経験は、それ自体で社会からの逸脱なのだ。そうして創出された「恋人たちの共同体」において、私たちはそれぞれに異なる豊かな「二人であることの孤独」を経験できる。

もちろんその逸脱は一時的なものだし、限定的でなければならないだろう。それでもそうして限定された空間が、社会から逸脱する時間が、必要だと僕は考えている。まさにそうした逸脱としての孤独が今日の社会から失われているように思える。

本書が捉えようとするのは、すべてがつなげられた社会から脱出して二人の時間を過ごし、その後で、労働や学校、家族といったつながりへと帰っていくことを可能にする世界制作の方法である。つまり二人のあいだで接続と断絶を様々に組み替えて、自分たちの手でストーリーを作る方法の模索である。そうした行き来を可能にするのがラブレターなのだ。

そしてラブレターを書いて「二人であることの孤独」を回復したとき、私たちは自分自身の経験を通じて、顔のないネットワークがどのようにストーリーを生産するのかを知ることになる。そのとき、あなたは自らの思考を再起動することができるだろう。それが本書が示そうとするラブレターの可能性のひとつである。

書くことの困難

ここまで本書の目的として「二人であることの孤独」の回復を示したが、それが可能にするとされた「思考の再起動」についても触れておきたい。

すべてがつなげられた社会において、私たちは「書くこと」の困難にも晒されているのだ。これが「ラブレターの書き方」を考える第二の理由だ。そして思考の再起動は、実際に書くことによってなされる。

先ほど指摘したように、あなたは、すべてから独立した個人であると同時に集団的な共同体の一員であることを二重に強制されている。この強制が機能する限り、自分の言葉で「書くこと」はできない。

周囲からの監視と、炎上の可能性は、あなたがソーシャルメディアに投稿しようとする言葉を常に見張っている。あなたは誰かも分からない「誰か」の嫌悪のスイッチを押さないように言葉を選ばなくてはならない。それはクラスメイトかもしれないし、陰湿な個人かもしれない。だからあなたが書くことができるのは、すでに誰かによって書かれたような物語や美的なモードのバリエーションである。

それはいわゆる言葉に限らず、画像や動画も同じだ。投稿をする前から、誰でもない誰かによってあなたは監視されているのである。

２０１７年の流行語大賞に選ばれたので既に死語にも思えるが、世間で広く知られる言葉に「インスタ映え」というものがある。一般的には「インスタグラムに写真を投稿したときに見栄えがよかったり、おしゃれな写真だったりするときに使われる表現」である。[4]だが「インスタ映え」という言葉は、たんに見栄えが良いことを意味するのではなく、既にソーシャルメディアに投稿された画像と、自分が今から投稿しようとする画像がどの程度同質であるのかを量る尺度として捉えるべきだ。人々は「Instagram」に投稿すると見栄えの良い写真」ではなく、「既にInstagramに集積された見栄えの良い写真と、どの程度似ている写真なのか」を考えているのだ。結果として、はじめてのデートも誕生日パーティも、既存の「映え」にどの程度合致するのかをそれぞれに計算しながら投稿されるようになる。あなたの生は、美的なモードのバリエーションへと掠め取られていく。そのことを受け入れるときに経験されるのが「書くことの困難」である。

もちろんこうした計算は、輝かしい一日を表現したポジティブな投稿だけでなく、憂鬱さや廃れたものについての美意識に基づいた投稿でも同じように作用する。もはやソーシャルメディアにおいて可能な文化的なアップデートは、新たな作品の制作ではなく、みんながそうでありたいと思うような美的なモードの登場によってしかなされない。しかしその美的なモードは、既存のウェブ・プラットフォームのなかでしか駆動しない。「作品がコンテンツになってしまった」という嘆きは、こうした状況に対してなされるものなのだ。

「インスタ映え」をはじめとした美的なモードは、顔と名前を持つ人間によって設計できるものではない。ソーシャルメディアにおけるネットワーク、無際限のつながりこそがその傾向を自動的に確定させる。

現在の社会を基礎付ける時間感覚は、もはや「過去・現在・未来」という一方向のものですらない。人間の素朴な時間感覚はソーシャルメディアによって解体され、新たな配列のなかで私たちの思考を不可能にする。すべての過去と未来は、計算され直し続ける現在へと畳み込まれるのである。

こうしたすべての現在化は、シティ・ポップという音楽ジャンルの再流行において説明できる。1970~80年代の日本の音楽ジャンルとして知られるシティ・ポップは、2010年代後半になって、YouTubeをはじめとしたウェブ・プラットフォームを通じて全世界で聴かれるようになった。背景文脈やアーティストの存在を無視して、無数の「シティ・ポップっぽい」楽曲を連続再生するだけの違法アップロードされた動画の多くが、数百万回再生を超える状況は、まさに美的なモードだけで作品がコンテンツ化する例である。

ラブレターの「書き方」を考えることの可能性と、その見取り図を示すためにも、「書くことの困難」についてもう少し掘り下げて語っておきたい。それは人工知能の問題である。少々脱線に感じられるかもしれないが、今の時代にラブレターについて考えるために必要な前提なので付き合っていただけたら幸いだ。

2022年11月30日に「OpenAI」がプロトタイプとして公開した「ChatGPT」は、様々な領域の質問に的確かつ高速で自動解答することで大きな驚きをもたらした。これは名前の通りチャット、つまり対話によって人工知能に対して質問や命令ができるサービスである。例えば長文の英語を的確に要約した上で日本語に翻訳したり、日本語で命令するだけでプログラムのソースコードを出力してくれたりする上に、大学入試や司法試験などの高難度の問題を解くこともできる。ChatGPTは多くの人に使われており、アクティブユーザーが一億人に到達するのにかかった時間は、わずか2カ月だった。TikTokとInstagramがそれぞれ9カ月と2年半だったのと比べると恐ろしい速度での浸透である。[5]

人工知能への質問や命令は「プロンプト」と言い、日本語圏では「呪文」とも呼ばれている。プロンプトによって私たちは、プログラミング言語などではなく、あくまで日常的な自然言語によってコンピュータへの命令を書くことができる。それはこれまでの当たり前だった「書くこと」の意味を変えようとしている。実際、本書の執筆にあたっても目次作りやアイデアの壁打ち相手としてChatGPTを活用したことはここに告白しておこう。しかし具体的な文献については的確な回答を得ることが困難なため、原著を集めて実際に読んでいるし、本文に関しては基本的に自分でキーボードを叩いた。だがそのようなオフライン領域の手作業によって「書くこと」の回復がなされるわけではない。その回復方法についてはこれから詳細に論じていく。

しかしChatGPTのようなチャット型の質問・命令サービスが、これからの社会生活のインフラとなるかもしれない。現に僕の周囲のアーティストや批評家が書く英語のメールは、本人の手ではなく、人工知能によって書かれている。そこで問い直されているのは、メールからプログラム、試験の答案に至るまでのあらゆる領域の「書くこと」の人間にとっての意味だ。もはや目的を果たす言葉をChatGPTが出力するための質問をし、その出力物を部分的に修正するだけで人間の役目は十分なのかもしれない。

また同年8月22日に公開された「Stable Diffusion」も大きな衝撃をもたらした。その詳細な仕組みについては割愛するが、基本的には自然言語を入力すると高精細な画像を出力する人工知能モデルだ。例えば「青いケルベロスがタイムズスクエアを散歩する様子を水彩画風に描いた画像」が欲しいと思ったら、それを的確にプロンプトにするだけで画像のバリエーションが生成される（もちろん、プロンプトの入力には細かなテクニックもある）。近い将来、取材や撮影のためにロケに赴いたり、資料を集めたり、コンピュータグラフィックスの専門的な技術を用いる必要はなくなるかもしれない。ここでも人間の役割は質問や命令をし、修正することである。こうした技術は生成系人工知能と呼ばれるが、そこではこれまでの文化における言語と画像の関係が問い直されている。

それまでの人工知能とは異なる方法で画像と言葉を学習したStable Diffusionは、大変軽量で低負荷なので、業務用のコンピュータではなく一般的なノートパソコンでも画像を生成することができる。僕のMacBook Airですら、数分待てば何枚もの画像を出力してくれる。

プロンプトに対して、ChatGPTはテクストを出力し、Stable Diffusionは画像を出力するという違いはあるが、あくまで人間がすべきことはプロンプトの工夫と成果物の修正であるという点では同じである。これらの技術は「書くこと」の意味を、つまり広い意味での「制作」を、再考する必要性を人類に突き付けるものだ。

こうして「書くこと」は、複数の観点から困難に晒されることとなる。ソーシャルメディアにおける美的なモードに束縛された私たちは、もはや自分で書くことはできず、ネットワークによって書かされる。あるいはプロンプトを通じた生成を行うことが宿命づけられた私たちは、自分の手で書くことの撤退を人工知能によって勧められている。

だが「書くこと」の価値は、書くのと同時に「読むこと」にある。成果物を生み出すためだけに私たちは書くのではない。こうした時代においても書くことの価値があるのだとしたら、「書くこと」と「読むこと」の並走こそが思考を可能にするからである。もしもあなたが何かを書こうとしながら、そうして書かれゆくテクストを読まないことは不可能だ（本書の執筆にあたって僕がChatGPTを活用したのは、自分の書いたテクストを客観的に読むためだった）。

すべてから隔離された純粋な思考などはありえない。目的までの過程の計算ではなく、どこに至るかも分からないままに浮遊することこそが思考なのだ。書きつつ修正し、悩んで、そして新たに書きはじめるような時間のなかにこそ思考がある。

例えば、ヘンな外装のカフェを見つけたことを、友人にメッセージで伝えようとするシチュエーションを想像してみよう。先ほど前を通り過ぎただけのカフェだ。ただ「ヘンだな」という感覚を共有しようとしていただけだった。それなのに、気がつけば、「週末に一緒に行ってみることを約束してしまう」というのは自然なことだ。もちろん約束することを目的に言葉を書き記していたわけではない。この面白さを理解してくれそうな友人として思い出しただけである。ただ「ヘンだと思った」「気になった」「それを伝えようとした」だけなのに、自分の打った文字列を見て「一緒に行ってみたい」と感じたとき、私たちは書くことによって思考しているのだ。

言葉を交わすことは、それまで私たちのなかに存在しなかった目的を生じさせる。それこそが思考だ。メッセージを送信する以前に「ヘンなカフェを見つけたんだ、これがその写真」と打ち込んだ時点で、「一緒に行ってみない？」と書き加えてみる。それを送る。そうして一緒にカフェの前に立ち、そしてテーブルを囲みながら、さらに言葉が交わされる。

たしかに人工知能は言葉を交わす相手になるかもしれない。だがそうであったとしても、私たちが「書きながら読むこと」によって、より正確に述べるなら「書き直す」ことによって思考する時間が奪われることはないだろう（「書き直し」における出来事の捉え直しを加速させる技術として人工知能を活用することには、本質的な可能性があるかもしれないが）。

本書の執筆においても、複雑なプロンプトを介して目次案を作ってもらうことで、自分の思考を客観視したり、先行する議論を要約してもらったりした。そこで僕がしたのは、実際に書き直すことなく、既に書かれた言葉から別のバリエーションを確認するための人工知能の活用である。だが思考すること、つまり書いて／読むなかで生じた「ラブレター」の書き方」の執筆の目的が、人工知能への命令と修正とは異なる地平で生じているのは確かだ。そうして辿り着いた目的については、本書を読み通すなかで理解していただけたらと思う。

思考とは、目的性を持った演算ではない。おそらく目的を達成するためなら思考しない方が早いだろう。だが目的性の欠如において、人間は「書き直す」。それによって思考する。そうして様々な目的を生じさせては消滅させるような思考の時間は、メッセージを「書き直す」ような時間の魅惑は、なくならないだろう。別に人間を讃えようとしているわけではない。重要なことは目的というのが偶然的にしか到来しないことを理解することである。

例えば本書における「ラブレター」というテーマは、知人との会話のなかで偶然に着想したものだったが、それを必然的な発想として捉え直すこと、「ラブレターでなければならなかった」と考えてみること、そこにある因果関係の反転が目的を発生させるのだ。

そして人と人の出会いもまた偶然的だ。しかしその偶然のなかに必然性を感じるとき、人はその偶然的な必然を「運命」と呼ぶ。ある関係性を運命として捉えることで目的が生じる。私とあなたの偶然的な出会いを必然と捉えてみる。そうした偶然と必然の行き来は、何かを書き直して／書き加えるような時間のなかでこそ可能なものだ。

ここで僕は「書くことの困難」に対して「書き直す時間」を通じて抵抗することを勧めている。そして「書き直す時間」の究極の形式こそが、ラブレターを書く時間だ。ラブレターは私たちの生が偶然的なゆらぎに晒されており、その偶然性とどのように向き合うことができるのかを知る機会となるだろう。

ラブレターにおいて、言葉は書き直され、過去の出来事は捉え直される。書き手は未来を作り替えようとする……そうして「書くこと」として、今日の「書くことの困難」から抜け出す方法として、僕はラブレターを捉えている。

本書がラブレターに託すのは、すべてがストーリーへと接続されながら断絶された世界のなかで、複数的な属性へと固定された「あなた」が、「二人であることの孤独」において「書くこと」を回復する可能性である。

ラブレターの秘密

当たり前のことだが、ラブレターは不特定多数に公開されることを前提としていない。そのため本当の意味での「ラブレター」を本書へと引用することは不可能だ。

これはプライバシーへの配慮ではなく、原理的な不可能性である。送り手と受け手の徹底的な二者関係のなかで生じる思考の熱。その人のあり方や生き方を根本的に変えてしまうような極度の緊張。不確定な未来へと飛び込み、過去を見つめ直す勇気。すべてからの疎外。ラブレターにおいて紡がれる言葉は、そうした二者関係においてのみ機能する。つまり「引用されたラブレター」、言い換えれば「二者関係から取り出されたラブレターの言葉」は既にラブレターではない。どのような引用も不可能なテクストがラブレターなのだ。

もちろんラブレターの一節を書き写すことは可能だ。しかし、ラブレターから何かしらの文字列を取り出したとしても、それは本来の機能を果たさない。「心から愛しています」。引用されたラブレターは既に機能を失っているのだ。

だからこそ本書は「ラブレター」ではなく「ラブレターの書き方」を考える。その「書き方」についてなら、考えられる可能性に賭けて。

ラブレターは既存のつながりの外にある。そうした語り得ないものたちについて考えることこそ「ラブレターの書き方」だ。実例を欠いたまま「ラブレターの書き方」を模索しようとすることは賭けである。本書を書くこと、そして読むことは、「ラブレターは実在する」と信じることによってのみ可能な試みである。

ラブレターとは秘密のテクストであり、二人が秘密を共有することによってはじめて機能するテクストである。そのためラブレターを送り、受け取る二人以外に、それが実在することを確かめる術はない。

だから実例としてのラブレターを引用し、それについて考えることができるのは僕ではなく「あなた」だけである。もしあなたがラブレターの実例を欲するのなら、あなた自身の二者関係において出会うしかない。「あなた」が書いた／受け取ったラブレターだけが引用可能な歴史的事例なのである。

その上で、他のテクストとラブレターの違いについて確認しておきたい。

まずラブレターは論文ではない。これはすんなり理解してもらえるだろう。論文は「私」の個別的な経験を根拠としないが、ラブレターは私的な経験に基づいたテクストだ。あくまで論文の目的は研究成果の客観的な記述と共有なので、主語が必要とされる場合も「本論文は」「この研究は」「筆者は」などと記すことが一般的に推奨される。もしも私的な経験が登場したとしてもそれは論文の本筋とは無関係な記述と捉えられる。

すなわち論文を書くとき、個別の身体における経験、私的な思惑は取り除かれなくてはならない。論文はラブレターとはまったく異なる種類のテクストだ。

論文と比べると小説は自由だが、これらもラブレターではない。小説では間接話法的に多様な人称や時制がパッチワークされる。そこでは「私は歩く」といった一人称単数だけでなく、「僕たちは泣き出した」「私が絞り出した「ずっと好きだよ」という言葉に興味なんてないみたいに、あなたは夕日に照らされた草木を眺めている」「静けさのなかで彼らは歌い出した」などと複数の人称や時制を用いることができる。たしかに小説には主観的な経験と客観描写を織り交ぜた記述が見られるし、その創意工夫はラブレターと似ているかもしれない。

しかし用いられる人称や時制にかかわらず、ラブレターは徹底的に「私」と「あなた」のためのテクストだ。何枚ものラブレターが書かれたとしても、大量に複製されて流通することはない。同一内容かつ複数冊の小説が市場に流通するのに対して、それぞれのラブレターは世界にひとつだけ存在すればいいのだ。つまり送り手すら手元に置くことができない（だからもし世界に1冊しか存在しない小説があるとしたら、それはラブレターに思えるのだが）。

まとめるなら、小説はその創意工夫においてラブレターと似ているが、産業として成立し複製されることで不特定多数の読み手へ届けられることを前提としている点でラブレターとは異なる。

そしてラブレターは日記ではない。日記は小説とは異なり複製される必要がなく、世界に1冊だけあれば充分だ。つまり日記とラブレターは、論文や小説と比べると私的である。しかし日記が複製されないのは、そもそも書き手以外の人間は読まなくて構わないからだ。それは書き手と読み手の二者関係を前提とするラブレターとは異なる。つまりラブレターは流通しない私的なテクストであるにもかかわらず、郵送や送信、あるいは手渡しされて受け取られた後で読まれることが求められるのだ。この欲望は日記にはない。小説や論文のような複製可能性を欠いていながら、それでもただ一人の読者を想定して書かれるのがラブレターなのだ。そこには確実に読者がいる。

公開されたブログやソーシャルメディアへの投稿も、ラブレターではない。ラブレターとは徹底的な二者関係においてのみ生じるテクストなので、受信者の複数性という点で考えるとそれらの投稿はラブレターではない。（しかし二人の秘密に基づいて、ある種の暗号として、書かれることはあるかもしれない）

ではブログ記事へのコメントや、ソーシャルメディアにおけるリプライ（返信）はラブレターだろうか？　しかしそれらをラブレターとして捉えようとするのは、すべての手紙をラブレターにしようとするのと同じである。そんなことはあり得ない。ラブレターとは二者関係において書かれるものだが、二者関係のなかで書かれたすべてのテクストがラブレターなわけではない。それは既にある二者関係を、二者関係に踏みとどまって、その内部から読み替え／書き直そうとする命がけの跳躍なのだ。

コメントやリプライは二者関係を改変することのない、あくまで日常的な発話である。すべての発話が告白ではないのと同じように、コメントやリプライはラブレターではない。また、そもそもインターネットのオープンネスを前提にコメントやリプライが送信されるという点で、それらは小説のような不特定多数への流通を前提としている。

それでは法的な訴状はどうだろうか。しかしこれもラブレターではない。そもそも訴状は1通しか存在しないものではない。裁判において原告は、裁判所宛の正本と、相手方となる被告の人数分の副本を訴状として送付する必要がある。たしかに訴状は原告と被告の、既存の二者関係を読み替えるために機能するだろう。しかしラブレターの受け手は読む主体であると同時に解釈する主体なのだ。それを行うのは裁判官や判事のような第三者ではない。

訴状というテクストは、私的な経験に基づいて二者関係を改変しようとするが、最小限であれ流通しようとする。そしてそうであるが故に解釈主体が第三者となる。そのため訴状はラブレターではない。

ラブレターとは以下のようなテクストとして定義することができる。

1. 私的な経験に基づいて書かれる
2. 流通しない
3. 受信されて読まれようとする
4. 二者関係を改変するために機能する
5. 外部に解釈主体が存在しない

こうして噛み砕くとラブレターは「二者関係の内部で」「書く／読む／解釈する」というフローが実行されることで生じるテキストであることが理解できる。その上で、ラブレターは「紙に手書きされること」で条件付けられるものではない。重要なことは「二者関係」と「書く／読む／解釈する」のフローである。そこでは二人だけの秘密が開花する。

最後に執筆方針について述べておきたい。

なにより読みやすさを優先し、幅広い読者の方々が楽しめることを考えて執筆を行った。そのため過去の哲学者、批評家、理論家、アーティストなどが概念として成立させた言葉を活用する際には、その人名や書名を本文中に登場させることを最小限にとどめた。なぜなら十分に洗練された研究や概念は、それを成立させた人物や文脈に縛られることなく自由に活用されるべきだと考えているためである。ただ注釈や参考文献には人名、書名を整理しておく。読者の方には必要に応じて参照していただきたい。

もちろん人名や書名を引用することもある。それはそこにある言葉ではなく、その言葉が紡がれた背景から思考すべきだと考えたときである。しかしその目的は、それぞれの人物や書籍を論じることではなく「ラブレターの書き方」を捉えることである。

当たり前のことだが、本書に先行して執筆や思考、研究や実践を行った人々の勇気なしに本書を書くことはできなかった。彼ら、彼女らへの最大の敬意に基づいて自由な思考を行うことは不可能だった。

前置きが長くなった。そろそろ、旅に出よう。

ラブレターの歴史へと。

注釈

1 ハンナ・アレント『革命について』志水速雄訳、ちくま学芸文庫、１９９５年。

2 Alex Stamos "An Update On Information Operations On Facebook" September 6, 2017. https://about.fb.com/news/2017/09/information-operations-update、最終アクセス２０２３年7月31日。

3 ジョナサン・ゴットシャル『ストーリーが世界を滅ぼす――物語があなたの脳を操作する』月谷真紀訳、東洋経済新報社、２０２２年、98‐１００頁。

4 ノジマ電気「インスタ映えとは？　写真の撮り方のコツやスポットの選び方を紹介」（https://www.nojima.co.jp/support/koneta/38900/、最終アクセス２０２３年7月31日）。

5 『チャットGPT、ユーザー数の伸びが史上最速＝UBSアナリスト』ロイター、２０２３年2月2日（https://jp.reuters.com/article/idJPKBN2UC04M、最終アクセス２０２３年7月31日）。

第一部　ラブレターの歴史

第一章　代筆されたラブレター

1-1　恋文横丁における代筆文化

渋谷駅前。スクランブル交差点の人混みをかき分けながら渋谷109の右手を歩いていくと、その裏にひとつの記念碑を見つけることができる。「恋文横丁 此処にありき」。戦後まもない頃、渋谷にはラブレターの代筆を請け負う場所があった。

まずは、ここでなされた代筆から「ラブレターの書き方」を考えはじめてみよう。

今となっては記憶している人も少なくなってしまったが、第二次世界大戦に敗戦した日本の各地には連合軍の軍用地が置かれていた。そして1946年、現在の代々木競技場や代々木公園がある土地にワシントンハイツというアメリカの街並みを再現した団地が建てられた。そこにはアメリカの軍人が駐屯していた。日本の若者のなかには彼らと恋愛をするものもいたという。しかし彼ら、彼女らは互いの言語を理解できない。そこで英語に達者な日本人がラブレターの代筆屋を営んだのである。

愛の言葉は直接伝えるべきだと思う方もいるかもしれない。だが言葉が通じなくとも、それぞれの胸の内には各々の想いがある。だからこそ1950年前後の渋谷には恋する人々の想いを代筆する文化があったのだ。戦後のヤミ市から発展した恋文横丁に古本屋、定食屋、雑貨屋などが立ち並ぶ様子は、昭和を代表する女優・田中絹代が監督した映画『恋文』[1]に垣間見ることができる。本作は映画としての面白さ以上に、ひとつの歴史資料として重要な作品だ。

映画を見れば分かることだが、アメリカの軍人と恋愛をしていたのは、主に女性たちだった。パンパン[2]と呼ばれる女性たちは、自らの春を売ることで、金銭だけでなく、チョコレートや化粧品、ストッキングなどの貴重品を得ていた。彼女たちは、軍人たちの羽振りの良さだけでなく、はじめて触れる「レディファースト」の考え方にも心を奪われたという。だが彼女たちのあり方には世間からの批判もあったというし、過酷な人生を余儀なくされたものも多かったという。当時の新聞には以下のように記されている。

かかる種類の女は、全国推定一万五千人に上り、一人の最高月収五万円。わずか千八百円という勤労者の月収ペースに比べ夜の女らは少なくとも一万円ペース位にはなるようだ。[3]

しかしどのような職業においても、皆が同じような人生を送っているわけではない。だから恋文横丁で代筆されたラブレターに綴られる「想い」は多様であった。

ここでは一人の証言からラブレターについて考えていきたい。当時の渋谷で「手紙の店」を営んでいた菅谷篤二は、代筆業について「結婚か、金か、あるいは純粋のラブであるのか」を見極めて手助けをするのだと述べている。つまり菅谷の仕事はただの翻訳ではなかった。代筆とは恋愛の目的を共に考え、そして戦略を練るという共同作業だったのである。

戦時中は陸軍中佐として活動した菅谷は、小学校4年頃から英語を学び、青年期にはバルザックやモーパッサンの全集をフランス語で読みあさっていたという。だからなのか、自分の文章は「少し格調が高かった」だろうと述べている。代筆業をはじめる前は、軍服や貴金属、スーツなどをヤミ市で売っていたそうだ。そうしたなかで、彼の店にワシントンハイツの人々が出入りするのを見た若い女性たちは、自分たちが受け取った英語の手紙を代わりに読んでもらいに来たという。そうして緩やかに代筆がはじまっていった。

しかし女性が妊娠すると逃げてしまう男性もいたという。男性側のそうした態度に対して、菅谷は語気を強める。彼がラブレターの代筆をする動機は、ただ日銭を稼ぐためだけではなかった。

これじゃいかんと思ったわけです。アメリカに負けたからといって日本の女性がだまされて捨てられるのを見逃すことはできん。これは男と女の戦いですよ。この戦いに負けないように、手助けをしてやらなきゃという気持ちなんですね。[4]

朝鮮戦争の時期には、彼のもとで代筆されたラブレターを通じて、結婚にいたるカップルもいたという。代筆を通じて、人と人が愛を交わすこともあったのだ。その代筆の戦略について、菅谷は以下のように述べる。

手紙を毎日毎日書きたいといって女がきても君の手紙は一週間待てとか、指示するわけです。［中略］向こうの手紙の様子を見てね［中略］向こうの返事が遅いようなのに対しては、こっちもピタッとやめさせて様子を見るんです。[5]

それは今日の恋人たちのあいだでなされる駆け引きと何ら変わらないように思える。急ぎ過ぎてはいけないし、のんびりし過ぎてもいけない。しかし恋愛の目的が「結婚か、金か、あるいは純粋なラブであるのか」を見極めるのは、今日に至っても困難である。そういうときは友人に相談したり、ラブソングを聴いたりして、自分の「想い」を見つめ直すものだ。もちろん当時も歌謡曲などはあった。だがそれだけで十分だろうか？　当時の恋愛は命がけである。もっと多様な方法で自分の想いと向き合い、恋する相手について考えなくてはならなかった。

恋文横丁に集う若者たちは、男女というだけでなく、国籍も使用する言語も、経済的な状況も違う。そこでは異質なもの同士が、その差異を超えて、二人の同質性を制作しようと試みていた。二人のあいだで共有可能な物語をつむぐためにラブレターを交わしていたのだ。それを可能にする「代筆」には恋愛の本質が秘められているように思えてならない。

今となっては珍しいラブレターの代筆は、今日の恋愛を素朴に見つめるだけでは明らかにならないコミュニケーションの本質を垣間見せてくれる。依頼主と代筆者の共同作業は「ラブレターの書き方」を考えるための出発点として、私たちの想像力を豊かに刺激してくれるだろう。

代筆屋を営んでいた菅谷の証言で見逃すべきでないのは、ラブレターの代筆が、話し合いという共同作業においてはじまる点である。代筆は依頼主の想いを見極めるところからはじまるのだ。

その現場において、ラブレターの送り手である依頼主は、自分の想いを口にしながら受け手の気持ちを自分なりに考え、さらには予測しながら喋るだろう。「もしかしたらあの人は遊びのつもりかもしれない」「だけど私は真剣な恋愛がしたいから」「あの日のデートが忘れない……」と。そうして二人の過去を回想しながら、手探りで言葉を発する依頼者は、自分がもらった手紙を読み直しながら代筆者の前で恋愛の目的を探す。そして自分でも気が付かないうちに自らの恋愛の目的を変化させていく。さらに代筆者からアドバイスをもらうことで、これまでの経験から一歩足を踏み出して新たな言葉を見つける。自分の気持ちを見つめ直し、相手の思考を先回りしようとする。「こういうことを書いたら、あの人は喜ぶかもしれない！」。

そうして自分の想いを手探って確かめながら、相手を理解しようとするなかで、その共同作業者である代筆者によってラブレターが執筆される。

繰り返しになるが、代筆は、日本語を英語へと置き換える作業ではない。恋文横丁における代筆は、送り手がまだ自覚していない「想い」をかたちにする営みでありながら、そうして手探られた想いを別の言語で「記し直す」、そんな二重の営みである。代筆はラブレターにおける想いの確定と執筆という領域を二重に引き受けるのだ。

そうして代筆を通じて未知なる言葉がつむがれる。それは当人たちには読み書きすることもできない言語だ。代筆者の身体を通じて、送り手は自分自身を作り替えつつ相手に語りかけていく。

依頼主の曖昧な想いは、代筆によって媒介されることで、はじめてラブレターになるのだ。代筆者と依頼主は一体となって思考し、執筆する。つまり二人であることが、一人であるような状況がそこにはあるのだ。代筆に媒介されて一体化した二人が、恋愛というさらなる二者関係を成就させようと邁進（まいしん）していく。

しかるに、ここでラブレターの主語は、代筆者と依頼主に分有されている。そこにある「私」という主語は、代筆において、二重の身体へとひらかれているのだ。だがそれは恋愛に不誠実であることを意味しない。むしろ真摯に相手と向き合い、徹底的に自分の想いを整理して、確実に相手に想いを伝えるためにこそ、二重の身体から言葉が発されるのだ。自らの想いをダイレクトに出力する以上の真摯さが「代筆されたラブレター」において現れる。

少し例え話をしたい。以前、自分のパソコンで最新のゲームをプレイをしようとしたのにスペック不足で不可能だったことがあった。しかしそうした問題を解決する技術がある。外付けGPUというものだ。GPUとはパソコンで画像的な処理を行うための演算用の部品のことで、これを専用のボックスに収納してパソコンに接続すると、本来のパソコンのスペックでは不可能な演算が可能になる。つまりパソコンと外付けのボックスの全体が共同してひとつの演算を開始するのだ。そうして共同的な演算を行うことで、それまでプレイ不可能だったゲームを遊ぶことができる。もちろん外付けGPUは別のパソコンへと繋ぎかえることも可能だ。そうしてそれぞれのパソコンへと接続されるたびに、共同的な演算を行うのが外付けＧＰＵである。

それと同じようにラブレターにおいても依頼者の思考を代筆者という外部装置に接続することができる。言葉にならない想いを、言い換えるなら、ひとつの身体のなかで処理落ちした思考を、代筆者との会話のなかで演算し直すことができる。その共同作業の現場には、二人でひとつのことを考える思考体が、二人が一人であるような新たな身体が生じる。それこそが恋文横丁で行われたラブレターの執筆主体である。この新たな身体によって、自分のなかにあった曖昧な想いが整理され、さらに相手の言語で手紙を書くことが可能になるのだ。

だがそれと同時に、恋文横丁における代筆者は、依頼主へとラブレターを送った人物のアバターとしても現れる。代筆者とは、代読者でもあるからだ。自分には読めない言語が、代筆者の身体を通じて日本語の音声になる。つまり代筆者は依頼主だけでなく、その恋する相手の共同作業者でもあるのだ。その身体はアバター、つまり相手の分身として現出する。神の意志を人々に伝える巫女や天使のように、代筆者は依頼主の前に現れるのだ。そうした送り手と受け手との二重の共同によってラブレターの代筆は行われる。

代筆者とは、依頼主の「思考の外部装置」であると同時に「恋する相手のアバター」でもある。しかしそうであるにもかかわらず、代筆者は、裁判官や判事のように原告と被告の第三者として解釈と決断を加えるわけではない。

ラブレターをやり取りする二人のあいだで、代筆者は、その二人と一体化して共同作業を行いながら、想いの確定と執筆、そして代読を実行する。強いていうなら弁護士に近い存在だが、それとも異なるだろう。代筆する身体は、裁判において二者関係を媒介する空間＝法廷それ自体のようですらある。まるで建築のような代筆者は、送り手と受け手を媒介しながら、コミュニケーションの双方向性と一体化する。

こうして代筆者によって媒介され、拡張されることで生じる、一人とも二人とも言い難い執筆主体こそが恋文横丁におけるラブレターの書き手である。

そして代筆者を通じて、相手の言葉を読み取り、自分の想いを確定させて、そこから一歩踏み出して別の言葉で執筆する時間は、恋愛のなかに、駆け引きの冷静さを取り入れることを可能にするだろう。

実際、想いの確定と伝達を区別することは同じ言語を理解するもの同士の恋愛でも変わらず要請される。シェイクスピアが「恋は盲目」と記したように、人を冷静さの外へと誘うのが恋愛なのかもしれないが、それが一方的であってはいけない。[6]異質な二人が、新たな同質性を制作するのが恋愛であると同時に、その異質さを受け入れて二人で生きていくこともまた恋愛なのである。そうして自分と相手の想いを重ね合わせつつ、常に変化し続ける時間を愛するのでなければ、恋愛はできない。

だが周囲に代筆屋がいるわけもない僕は、自分の想いがうまく整理できないまま身勝手になったこともあった。自分本位の言葉を無闇に送りつけて相手に迷惑をかけたことや、困って返信できなくなって沈黙してしまったこともある。振り回されていると思ったら、振り回してしまっていて謝らなくてはならないことも経験した。それは手紙ではなく、インターネットを介したメッセージのやり取りだったが、気遣うべきことは手紙と一緒だろう。

あのときの僕は「純粋に恋をしているのか」、「恋に恋しているのか」、「素敵な人と一緒にいる自分を妄想して、そんな自分に恋をしているのか」が分からなくて早とちりしてしまったのだ。つまり相手の意図を読み取ったり、自分の想いをきちんと確定させる時間を取らないままで言葉を書き散らしていたということである。だから「もう二度とこんなことは……」と決意するのだが、こちらの常識や理性を破壊してしまうところに恋愛の恐ろしさはある。そうしたコミュニケーションの失敗への反省こそが、本書のような問題設定に僕を誘った。

相手のことを思いやって恋愛をするのなら、自分の想いを確定させる時間と、それを伝達する時間は、それぞれ異なるものとして区別されるべきだ。そうでなければ恋愛における一挙手一投足は、駆け引きではなく暴力になってしまう。相手の言葉には冷静に向き合うべきだし、自分の想いが未確定のままではいけない。何も考えずに誰かに語りかけ続けるような地獄は避けるべきである。恋する相手は、あなたの思考の外部装置ではないのだから。

しかし何度振り返ってみても、そうした区別を理性的にすることが不可能になるところに恋愛の本質があるようにも思える。これは理性を欠いた非合理的な出来事が恋愛であると同時に、相手を大切に思ってコミュニケーションするのなら理性を保つことが必要なのだという、ねじれた前提の確認だ。ただの錯乱は恋愛ではないが、錯乱のない恋愛を考えることは難しい。しかし、そうした区別のために代筆者は役立つ。

当たり前のことだが、恋文横丁で代筆されたラブレターを読むことはできない。今の社会に代筆者はいない。しかし本節で論じられたラブレターの代筆は「ラブレターの書き方」にひとつの足場を与えるものである。私たちは代筆を通じて恋愛の錯乱のなかを真っ直ぐに歩く方法を知ることができるかもしれないのだ。

恋文横丁における代筆は、たんに英語が分からないからというのではなく、恋愛に必要な駆け引きのための、冷静な理性にとどまるための場所としてあった。そこで代筆された大量のラブレターは、ただの翻訳の成果物ではなく、無数の人々が共同執筆を通じて代筆者と一体化した思考の廃墟なのだ。

代筆者とは「思考の外部装置」かつ「恋する相手のアバター」であり、その二重性において「想いの確定」と「執筆」の区別を可能にする。そうして二人であることが一人であるような身体は「私」を分裂させながら、作り替え、そして恋人たちの世界を制作することを可能にする。ラブレターの代筆を通じて生じる新しい身体は、二人であることと一人きりであることを行き来することで、異質性と同質性の双方を同時に生き抜くのだ。

また、念の為断っておくと、手紙の代筆は恋文横丁に特別な営みではなく、世界中で試みられてきたことである。特に識字率の低い地域や時代において、手紙に限らない代筆業者が多くいた。

手紙だけでなく、貿易の交渉や契約などで第三者の立ち会いが必要な場合に、その内容を書面で残すために代筆を職業として行う人々が必要とされることもある。14世紀、錬金術の研究を行ったとされるニコラス・フラメルはそうした代筆業を行っていたという。実際、恋文横丁で代筆を行っていた菅谷は、後年は国際結婚における戸籍謄本の確認や代筆などを請け負ってもいる。

また18世紀のフランスには花言葉や詩的な表現によって美しく飾られた手紙を代筆する人々がいた。１９８０年には職業としての代筆（フランス語では「Écrivain public（公共作家）」と記す）を促進することを目的とする協会「AEPF」が設立されており、この協会では申請者の文筆スキルを確認できるシステムも提供している。[7]

とはいえ、現在は代筆業が盛んでないことも事実だが、識字率が低いインドでは近年に至っても手紙の代筆が行われてきた。ムンバイで代筆業を営むシャキル・アーメドという人物が、２０１４年のインタビューに答えている。彼にとって手紙の代筆とは「秘密を守る仕事」だったという。例えば、売春婦たちが故郷に仕送りをするときには、どうやって稼いだかを伏せた手紙を送りたいと考える。そこで彼は秘密を守りながら代筆を行うのだ。そうして彼は読み書きができない労働者の代わりに、仕送りに添える手紙の代筆をしてきた。つまりムンバイにおける代筆とは労働機会の豊富な都市部と、そこで働く人々の地元を橋渡しする仕事でもあったのである。

彼は、労働内容のすべてを家族に伝えたいわけではないクライアントの、その秘密を守ることで信頼を構築し、仕事を得ていた。そんな彼の元にはラブレターの依頼も来ていたという。インタビュー時点で人口の４分の１が読み書きをできないというインドだが、近年は携帯電話の普及で、遠方にいる家族や友人と直接電話することができるようになった。

その影響で、手紙の代筆をする機会は減ったという。[8]

代筆業が廃れたのは日本も同じである。1963年に恋文横丁のあった該当地域に長谷川スカイラインビルが竣工し、1964年にはワシントンハイツのあった土地は日本へと返還された。現在の渋谷にラブレターの代筆屋は存在しない。同時期に渋谷川は暗渠化されて地下へ潜ることとなった。残っているのは記念碑だけである。

しかしその記念碑からは二人で一人であるような思考体の、無数の残留思念を感じることができるかもしれない。「恋文横丁 此処にありき」。ぜひ、訪れてみてほしい。

最後に、ロラン・バルトの恋愛論として繰り返し引用されてきた一節を引いておきたい。その意味は、代筆を通じてこそ明確になるように思えるからだ。

> 恋するわたしは狂っている。そう言えるわたしは狂っていない。わたしは自分のイメージを二分しているのだ。自分の眼にわたしは気のふれたものと映る（わたしは自分の錯乱のなんたるかを識っている）のだが、他人の眼にはただ変っているだけと映るだろう。わたしが自分の狂気をいたって正気に物語っているからだ。[9]

恋することで二分された「自分のイメージ」というのは、スピリチュアルで観念的な比喩に思えるかもしれない。だがここまで論じてきた私たちにとって、その分裂は代筆者の内的な現れとして唯物論的に理解できる。

その「正気」の具体的な実装方法については、第二章で論じるが、まずは代筆についてより詳細に考えたい。ここで確認したいのは、恋する人間が自分のイメージを二分することであり、その分裂は代筆によって正確に理解できることである。

代筆を通じてラブレターについて想像することで、私たちはラブレターという不可視のテクストたちに触れることができる。そこには「私」と「あなた」、あるいは不幸と幸福などでは分類できない非合理的な世界が渦巻いているのだ。

1-2　自動手記人形の主語

手紙の代筆を行う人々は世界中にいる。だから代筆者が登場する文学や映画も数多く作られてきた。だが「代筆とはなにか」を丹念に探求する作品は多くはない。

しかしまさにそうした問いに向き合った作品がある。日本のアニメーション制作会社・京都アニメーションによる『ヴァイオレット・エヴァーガーデン』だ。本作は、同社が主催した小説の新人賞のはじめての受賞作を原作として、マルチメディア展開する人気シリーズである。テレビシリーズは全13話、劇場版が2作、小説が全4巻ある。ここではテレビシリーズに基づいて「代筆」について考えていきたい。

産業革命期と思われるヨーロッパを舞台とする本作は、数年にわたって繰り広げられた大戦が終結したところで幕を開ける。主人公は、類稀（たぐいまれ）な戦闘能力から「武器」と呼ばれ戦場で恐れられていたヴァイオレット・エヴァーガーデンという少女である。孤児として育ち、軍人と共に戦場で生きてきた彼女は、自分の生まれ年も定かでない。おおよそ14歳ということだが、年相応とは言い難いくらいに落ち着いており、戦場以外の人生経験はかなり少ない。

終戦直前、ヴァイオレットは激化する戦場で両腕を失ってしまう。攻撃を受けた現場には、共に戦場で戦い、そして深く慕っていたギルベルト少佐がいた。ヴァイオレットにとって誰よりも大切な人物である。その攻撃によってギルベルトは消息不明となってしまうのだが、そんな彼が最期に残した言葉を理解することがヴァイオレットにはできない。

あまりにありふれた言葉だ。この言葉の意味をヴァイオレットが知ることが、本作のテーマとなっている。

戦時中のギルベルトは、戦争が終わった際にヴァイオレットの面倒を見てくれるようにと、親友の軍人ホッジンズに頼んでいた。終戦後、両腕を失ったヴァイオレットは金属製の義手を着けることになるのだが、最初はどうしてもうまく動かない。彼女の身元引受人になってくれることになった邸宅に挨拶に行ったときはマグカップを持つこともできず、お茶をこぼしてしまう。それどころか社会生活の経験がないため、引受人たちに馴染むこともできない。

そこで身体と生活のリハビリを兼ねて、ホッジンズが社長を務める「C・H郵便社」に住み込みで働きはじめることになる。この郵便社は、手紙の郵送と代筆を請け負うことを仕事とする会社だ。本作で舞台となる地域、時代の社会では文字の読み書きができない人も多いという。そこで代筆の出番だ。C・H郵便社によって行われる手紙の代筆は、社屋で請けることもあれば出張で行うこともある。

本作において、手紙の代筆を行う人々は「自動手記人形」と呼ばれる。自動手記人形は基本的に女性であり、その点はここまでに確認してきた代筆者たちとは異なる。

しかしこれは奇妙な一致なのだが、渋谷で代筆業を営む萱谷篤二と同じく、ヴァイオレットもまた戦場から手紙の代筆へと自らの活動の場を移している。戦争における国家間の争いから、私的な二者関係の代筆への転職のなかには、人間のコミュニケーションの本質的な両義性を感じ取らずにはいられない。

その両義性は『ヴァイオレット・エヴァーガーデン』においては「武器」から「自動手記人形」への名付けの変化として象徴的に示されている。そしてそうした移行を視覚的に示すのが彼女の手である。その手は、戦争によって失われ、そして機械の義手によって代替されている。ヴァイオレットの身体は生体と機械のハイブリッドであり、そのサイボーグ性こそが、彼女の「転職」を、忘れることのできない傷として徴し続ける。複雑に光を反射し、細かな陰影を形作る機械の手は、本作を見たものの記憶に強く刻まれていることだろう。

しかし最初、ヴァイオレットは配達員として働くことを勧められる。そんな彼女に職業的な選択を決意させるのは、実際に働く人々の姿だった。先輩の自動手記人形が、依頼主と手紙の内容を打ち合わせるなかで口にした「「愛してる」でよろしいでしょうか？」という言葉にヴァイオレットは心を奪われる。そして社長のホッジンズに「愛してる」の意味を知りたいのだと告げた彼女は、自動手記人形として働くことを志望するのだった。

戦場を最後にして別れたままのギルベルトから聞かされた「愛してる」という言葉が理解できなかったことが、作品全体を貫くヴァイオレットの行動の動機である。彼女は「愛してる」を理解しようとする。その言葉の意味を探るために自動手記人形として修行し、働きながら、ひとつずつ代筆依頼をこなすことで物語は進行する。

ところで原作小説によると、自動手記人形とは、手紙の代筆を請け負う職人の呼び名であると共に、人間の肉声を文字として書き起こすことのできる機械人形のことらしい。実際、小説版の冒頭で自動手記人形に代筆を依頼する人物は、初対面のヴァイオレットのことを機械だと勘違いしている。つまり、人間とよく似た人形だと。ヴァイオレットが依頼主と出会った際に口にする挨拶も、そうした機械の印象を強めるものだ。

「お客様がお望みならどこでも駆けつけます。自動手記人形サービス、ヴァイオレット・エヴァーガーデンです」

代筆作業をはじめる前のヴァイオレットは、自らの義手の双方に備えられた調整用のバルブのようなものを他方の手でやさしく回す。この調整のシーンは彼女に固有の人工身体の美を象徴的に映像化するものだが、そこで否応なしに映し出されるのは、大切な人が戦場で発した「愛してる」の意味を理解できなかったことに抗おうとするサイボーグの両義性である。人間であると同時に機械、武器であること。それでも武器ではなく人間として生きるために人形になった少女の葛藤。戦争の傷＝機械義手に刻み付けられたその葛藤こそが、依頼主の大切な想いを代筆する動機なのである。

そんなヴァイオレットが従事する手紙の代筆業は、恋文横丁の場合と同じように依頼主と代筆者の共同作業だ。いや、自動手記人形による代筆は、恋文横丁以上に徹底的な共同作業だと言える。依頼主の言ったことをそのまま手紙に書くのではなく、依頼した人物と自動手記人形が一緒に時間を過ごして対話するなかで依頼主たちは自分の言いたいことを徐々に理解していく。場合によっては寝食を共にし、共同生活にも近い時間を過ごしながら、自動手記人形は代筆すべき想いを探っていくのだが、そのなかで依頼主も自らの想いを知ることになるのだ。

本作における代筆依頼は若者同士のラブレターだけでなく、家族への感謝、パーティの招待状、戯曲など形式も送り先も多岐にわたる。しかし自動手記人形と依頼主とのあいだで共有された時間のなかで、それぞれの想いが言葉になり、送り手と送り先の人物の二者関係が読み替えられて言葉になるというプロセスは一貫している。

第10話「愛する人はずっと見守っている」では、母・クラーラから幼い娘・アンへの手紙の代筆をヴァイオレットが行うことになる。母のクラーラは介護が必要なほどの難病を患っており、一人で手紙を書くことができない。だがそれでも彼女は手紙を残そうとして自動手記人形サービスを利用する。しかし事情を知る由もないアンは、残された時間が少ないにも関わらず自分と遊んでくれない母や、母との時間を奪うヴァイオレットに不満を感じていた。

そこで代筆されたのは50年分もの手紙だった。それは母の死後、毎年訪れる娘・アンの誕生日のための手紙である。

この回で重要なのは、エンディングに向かうシーンである。ヴァイオレットによって代筆された手紙が、母・クラーラの声で朗読されるのだ。「8歳の誕生日おめでとう」「さびしくて泣いてしまうこともあるかもしれないけれど忘れないで」「お母さんはいつもアンのこと愛しているから」。ヴァイオレットが書いた手紙が、依頼主である母の声で読み上げられることで、代筆という共同作業が成就したことを私たちは知る。最初不満を感じていたアンは、50年間にわたって母の愛を知ることになる。母・クラーラはすべての手紙が完成した後で息を引き取る。仕事が終わり、郵便社に戻ったヴァイオレットは涙を流すのだった。

こうして多様なテクストを代筆しながら、ヴァイオレットは「愛してる」の意味を少しずつ知っていく。誰かの想いを、誰かの「私」を分有して、大切な人を亡くした悲しみや、共にいることの喜びを知る。それは自動手記人形「サービス」という言葉の印象とはまったく異なる、愛する者への手紙が持つ温かさと、愛する者同士の埋めようのない距離を同時に感じさせるものだ。

自動手記人形は、恋文横丁における代筆者と同じように、ただ文字起こしするだけの存在ではない。それは、自分のなかにある想いにかたちを与えようとする依頼主の共同作業者であり、二人で一人であるような執筆主体なのである。

実際、代筆された手紙に書かれた「愛してる」は、送り手から直接発されるものではない。それは共同作業を通じて代筆された言葉だ。しかし主語は単数であり、動詞としても能動態である。本人も「愛してる」と伝えたいと考えているだろう。だが依頼主と自動手記人形の共同作業において、代筆された手紙に書かれた一人称単数の主語は、依頼主と自動手記人形という「二人」の重なり合いへとひらかれている。その手紙における能動は、奇妙にねじれている。

依頼主は、自動手記人形を通じて自分の想いを引き出されて自覚させられ、確定させられる受動的な存在でもあるのだ。しかし手紙の文面における想いは、あくまで能動的に書かれる。つまり代筆において、依頼主の能動/受動の発話は重なり合って、混ざり合うのである。代筆において生じる執筆主体の発する言葉は、たんなる能動や受動で区別できるものではない。

「私はあなたを愛している（I love you.）」

これは能動態で記された文である。だが依頼主の想いとして記された言葉は、依頼主のなかから自発的に生じたのではなく、自動手記人形と寝食を共にするような時間のなかで見出されたものである。やはり依頼主の一人称は、自動手記人形と分有されている。その共同を通じて現れる書き手は「一体化した二人」という二重の執筆主体である。代筆における主語の単位は、近代文学における個人＝作者でなければ、戦後美術や演劇などで実験された集団的で多声的な作者とも異なる。そこには新しい主語の単位が生じているのだ。

そして主語の分有こそが、ラブレターに記された主語の単位、能動と受動の区別を曖昧にさせる。むしろ代筆のプロセスの第一段階である自動手記人形と依頼主の対話において、その想いは完了時制として経験されるだろう。

「私はずっと愛していた（I have always loved.）」

言い換えれば「愛してると伝えたかったのだと気がついた」。それは自動手記人形の存在を通じてはじめてかたちになった想いである。そして受動的に引き出された完了時制の想いを、現在形の想いとして共同的に書き換えることで、本作における愛のための手紙は書かれる。そこでは主語の単位が揺らぐ。

しかしこうした受動と能動のねじれは依頼主の側だけの問題ではない。それはヴァイオレットが述べる「お客様がお望みなら／駆けつけます」という挨拶に先取られている。彼女の挨拶において「駆けつけます」は明らかに能動的な表現なのだが、この能動性は「お客様がお望みなら」という受動性によってはじめて可能になる。

しかしここまで論じてきて「すべての手紙が代筆されるわけではないだろう」と考える方もいるかと思う。「ましてやラブレターが?!」、と。だがここで重要なことは、もっとも真摯な手紙において、能動と受動では区別できないような執筆主体が生じる可能性である。

私たちが中学校で英語を勉強する際、動詞には「受動態」と「能動態」という対立する二つの態があるのだと教えられた。日本の学校で日本語以上にシステマティックに学ぶことになる英語における態の区別は、深いところで私たちの言語理解を狭めている。それは裁判で用いられる言語のように、人間関係を単純化する。しかし人と人は、原告と被告のようなかたちで常に向き合うわけではない。

能動と受動とは「する」と「される」の対立である。だがこの対立では説明できない人間の関係も多い。例えば、あなたが「誰かを愛してしまった」とき、それはあなたが能動的に選んだことだろうか？　あなたが誰かを「愛している」と伝えることは能動的な行為だとして「愛している」という想いの発生は能動的だっただろうか？　あるいは絶対に好きになるべきではない人を好いてしまったとき、あなたは受動的に「好きにならされた」のだろうか？

もちろん違うだろう。ここで文脈をひろげて考えてみれば、そこには中動態的な姿勢が端的に示されていると言えるかもしれない。中動態とは言語の「態」であり、哲学者の國分功一郎は『中動態の世界――意志と責任の考古学』でこれを詳しく検討した。

彼は「する」と「される」という能動態と受動態の対立が根源的なものではないことを指摘する。[10]彼は「する／される」ではなく、主語の「内／外」へと注意を払うことを促すのだ。

その根拠のひとつにインド＝ヨーロッパ語族という言語のグループがある。それは現在の英語やドイツ語、フランス語、ロシア語、ギリシャ語などの幅広い言語のもとになった語族で、８０００年以上前の古代より広く使用されてきた。そして國分功一郎によれば、本来のインド＝ヨーロッパ語族においては、能動態と中動態こそが対立していたのである。

このグループにおいて、受動態は、中動態から派生して発達したものに過ぎないという。[11]

中動態を論じるにあたって避けることのできないギリシャ語を、『中動態の世界』の執筆にあたって実際に学んだ國分は、ギリシャ語の文法書を後世の学者たちがどのように解釈し、翻訳したのかを丁寧に読み解いていく。ここではその細かな議論を追いかけることはしないが、ラブレター、ひいては自動手記人形による代筆にとって重要な部分に着目する。

まず繰り返しになるが能動と受動の対立は「する／される」が問題となる。だが能動と中動の対立においては「主語が過程の外にあるか内にあるか」が問われるという。[12] つまり能動においては主語の外での、中動においては主語の内部での過程が語られる。

とある講演における國分本人の要約を踏まえて、「惚れる」を例として考えてみよう。「惚れる」において重要なのは「する／される」の対立ではなく、その感情の動きに巻き込まれているか否かである。つまり「惚れる」過程の内に主語があるとき、それは言語的には中動態となるのだ。[13]

私たちが問題にしてきた「愛してる」もまた「する／される」の対立だけで語ることはできないだろう。主語は「愛してる」に巻き込まれ、「愛してる」を内側から経験するのだ。愛は一方的にぶつけるものではなく、巻き込まれるものである。主語は「愛してる」の内側に置かれる。そうであるなら「愛してる」を伝えるための手紙を書くとき、その書き手と受け手は、「する」と「される」の対立にとどまるはずがない。

さらに國分は、中動態における行為は「主語が過程の外にあるか内にあるかが問われるのであって、意志は問題とならない」のだと述べる。能動態と受動態ではなく、能動態と中動態を対立させる言語では「意志が前景化しない」[14]というのだ。

そう考えてみると、ヴァイオレットが述べる「お客さまがお望みなら／どこへでも駆けつけます」という挨拶は中動態的である。意志の欠如において、自動手記人形は、手紙の代筆という共同作業を可能にする。つまり代筆されたラブレターの書き手は、近代以降の文学や芸術における意志をもった能動的な「作者」とは異なるのだ。依頼主と代筆者は、互いに巻き込まれ合うことによって手紙を執筆する。依頼主は、自動手記人形と一体化して「愛してる」と書きながら、その手紙の受け手との「愛してる」の関係にも巻き込まれるのだ。

『ヴァイオレット・エヴァーガーデン』における自動手記人形と依頼主の共同は、私たちが「ラブレターの書き方」を知るためのモデルとなる。この作品における主語の分有は、中動態の実践可能性を通じて「愛してる」の意味を知ることを可能にするだろう。

「お客さまがお望みなら／どこへでも駆けつけます」という挨拶を通じて自動手記人形は、意志が問題とならず、前景化しない時間を過ごすことを依頼主に宣言するのだ。むしろ意志が後退するからこそ、自動手記人形は、依頼主の「愛してる」と並走することができる。だがこの後退は、たんなる意志の消滅ではない。

内と外を区別する主語の輪郭（アウトライン）こそが、能動と中動を区別するのなら、主語の再定義において代筆は重要なのだ。主語の輪郭の再定義を可能にするために、自動手記人形は、中動態的な態度を強調する。そして「愛してる」へと共に巻き込まれ合うことによって、自動手記人形と依頼主は、新たなる主語へと到達するのだ。代筆とはこれまでなかったような主語の設定を通じた、新たなる能動性を制作する営みなのである。

また、國分は、ハンナ・アレントを引用して、過去にかかわる精神的な器官が「記憶」であるのなら、「意志」（will）は未来とかかわる器官であることを指摘している。[15] 重要なのは過去からの帰結としての「選択」が「意志」と区別されることである。選択は、過去から取り出すことのできる選択肢のなかに収束する。だが意志は過去からの帰結ではなく、過去から切断された絶対的なはじまりでなければならない。[16] 過去を断ち切りながら、時間を逆走して責任を生成するような、絶対的なはじまりが意志である。[17] それは中動と対立する能動において可能だ。

中動態において意志は前景化しない。しかし自動手記人形は、意志から逸脱しながら、翻って主語の輪郭を再定義して、依頼主との共同執筆において意志の成立へと至るのだ。代筆は、自動手記人形と依頼主双方の中動態によって準備されるのだが、二人で一人であるような新たな執筆主体の能動態による執筆で終わる。最後には意志が生じる。

こうして主語の単位が運動する代筆のプロセスには、既存の態からの逸脱があるように思える。この逸脱と再定義を可能にするのが自動手記人形であり、新たな主語が結果的に露出させるのが「意志」の領域なのだ。

能動と受動の対立を脱構築しながら、中動態を介して意志の領域へと依頼主を導くヴァイオレット・エヴァーガーデンはサイボーグである。

思想家でフェミニスト理論家としても知られるダナ・ハラウェイは「機械と生体のハイブリッド」であるサイボーグについて、「社会のリアリティと同時にフィクションを生き抜く生き物である」と述べている。[18]性だけでなく種さえも超えたところで思考するハラウェイによると、サイボーグの技術とは「書くこと」なのだという。

サイボーグによるテクストは「共通言語という起源の夢や、起源に遡っての共生」とはまったく異なるものとして捉えられる。[19]サイボーグのテクストと想像力は「機械、アイデンティティ、カテゴリー、関係性、宇宙の物語りといった存在の構築と破壊の両方を意味する」[20]。つまりサイボーグによって書かれるテクストは、過去からの帰結でなければ、なにかの起源神話や創世の物語でもなく、そうした記憶の破壊がそのまま世界の構築になるようなものだと言えるだろう。「サイボーグは、人々が動物や機械と連帯関係を結ぶことを恐れず、未来永劫にわたって部分的なままにとどまるアイデンティティや相矛盾する立場に臆することのないような、社会や身体の生きられたリアリティに関わる」[21]。それはここまで確認してきたような、一者でなければ二者でもないような身体を持つ。それは一人でも二人でもない執筆主体を創出する代筆、そして自動手記人形の等価物である。

サイボーグの読み書きが、男性／人類の堕落——ことば以前、書くこと以前、男性／人間以前の昔むかしに存在したかもしれないような全体性をめぐる想像力——に関わる存在であってはならない。サイボーグの読み書きは、生存のための力——起源における無垢に立脚した力ではなく、自らを他者として刻印した世界を刻印するツールを制圧する過程に基づいた力——に関わるものである[22]。

ここでハラウェイが「男性／人類」（Man）という既存の社会における力に対して述べる「生存のための力」としての、サイボーグの読み書きの、ひとつの実践可能性としてヴァイオレット・エヴァーガーデンという自動手記人形はある。自動手記人形による代筆は全体性の夢ではなく、部分的であることを生き抜くひとつのキメラ的身体と関係するのだ。

戦場で生きる軍人から、代筆者への転職。代筆において一体化する依頼主と代筆者。自動文字起こしの機械と代筆業者の人間を同時に意味する「自動手記人形」という言葉。機械の腕を持ちながら人間の若者でもあるヴァイオレット……こうした複数の両義性が重ね合わされたハイブリッドこそが、自動手記人形という執筆主体を創出し、収束させる「書くこと」の可能性である。

1-3　共に作る喜び

京都アニメーションが描いた出会い

ここまで自動手記人形によって生じる代筆的な主体について論じてきた。次に、京都アニメーションが描いてきたキャラクターのあり方と、その思想を理解することで、『ヴァイオレット・エヴァーガーデン』で主題とされた「愛してる」の意味へと更に接近したい。

まず京都アニメーションとは『AIR』（２００５年）や『らき☆すた』（２００７年）、『涼宮ハルヒの憂鬱』（２００６年、２００９年）、『けいおん！』（２００９年）などで熱心なファンに恵まれたアニメ制作会社である。これらの作品は、ファンによる二次創作も多い。美術家で批評家の黒瀬陽平はデビュー論文『キャラクターが、見ている。――アニメ表現論序説』で、そうした作品について、「描かれた空間に対するイニシアチブが私たちではなく、キャラクターの側にある」ことを指摘した。[23] ここでの彼の議論の前提にあるのは物語分析や表象分析、消費社会論に終始するアニメ批評の現状に届せず、アニメにおいてのみ可能な「表現論」を論じることだ。

この論考が執筆された2008年当時の社会では、多くのアニメがYouTubeやニコニコ動画などの動画共有サイトで視聴されていたという。そしてそこにはアニメ作品それ自体と同じくらいの量のMAD動画が投稿されていた。MAD動画とは、本来は消費者と呼ばれる人々が、既存のアニメを切り貼りして制作したネタ的な映像作品のことだ。その運動は「ユーザー・ジェネレイテッド・コンテンツ」とも呼ばれる。そうした運動を推進してきた企業であるKADOKAWAの社史では、以下のように要約されている。

二〇〇〇年代の中盤に、フェイスブック（二〇〇四年）やユーチューブ（二〇〇五年）、ツイッター（二〇〇六年）、日本ではニコニコ動画（二〇〇六年）のようなSNSが登場し、誰もがネット上に情報を発信できる環境が整い、ユーザー（消費者）がネット上でコンテンツを製作し発信するようになったことから生まれた言葉だ。二〇〇五年にはティム・オライリーがこうした状況をWeb2・0と呼んだ。ユーザーの評価やレビューが情報としての価値を生み、ネットからさまざまな（二次創作を含む）ユーザーオリエンテッドなコンテンツが生成・発信されるという新しい時代の到来を告げた。[24]

そうした投稿空間において消費と制作の境界は融解して、一体化する。そしてMAD動画という止まることのない消費＝制作のサイクルのなかでは、アニメ作品へと込められた作家性や批評性は空転してしまう。だからこそ黒瀬は、アニメ批評は表象分析や消費社会論へと収束してしまったのだと述べる。さらに彼によれば動画共有サイトへのMAD動画の投稿数は作品の人気や売上と比例しているという。すべてが切り刻まれ、消費＝制作されるなかでメタフィクションやアニメ表現論は不可能になった。

そこで彼はキャラクターたちの描かれた画面を絵画論的に分析することで、批評のあり方への挑戦を行う。まず彼が指摘するのは、日本のアニメの前提となる、背景とキャラクターの分離だ。静止した背景と動くキャラクターは「同じ視点で描かれておらず、「正しい」位置関係ではない」[25]。アニメは異なる作家によってバラバラに描かれた絵を重ね合わせることで作られている。アニメ作品を一時停止して見てみれば、そこにある画面の、その背景とキャラクターが別の作家によって描かれ、さらに別の人間によって合成（撮影）されたことを垣間見ることができる。だからアニメの画面を見る私たちの目は、統一的な空間を成立させることができない。ひとつの奥行き、ひとつの世界を見通すような視点はない。背景とキャラクターの分離と合成。黒瀬は私たちの目の不能性を暴く。私たちの目が、画面をまなざしているとき、そこにはねじれた空間しか立ち上がらないのである。

たしかに背景とキャラクターの分離を踏まえたとき、MAD動画におけるキャラクターの切り抜き／合成による二次創作は、日本のアニメに原理的に内在する背景とキャラクターの再編集可能性として、消費が制作へと反転する状況をあらかじめ埋め込んでいるのだと捉えることができるだろう。

そうしたアニメの前提に抗して、京都アニメーションによる作品『らき☆すた』は、動画共有サイトにおいて空転するメタ意識と消費＝制作を作品内で描き出したのだと黒瀬は述べる。本作の主人公は「おたくな女の子」だ。それは動画共有サイトで消費し、制作するオタクの映し鏡でもある。MAD動画を介したアニメ受容において、あらゆる引用と表現は「ネタ」として並列化されるのだが、こうした時代のリアリティを『らき☆すた』は作品内に正しく反映して表現へと落とし込んだ。[26]

そこでは画面外のキャラクターが2頭身へとSD（スーパーデフォルメ）化されて割り込んできたり、キャラクターたちのいる空間が映像制作のスタジオ内の書き割りへと変化する演出によって、ＭＡＤ動画的な消費＝制作のリアリティが作品へと落とし込まれた。

しかしＭＡＤ動画的な消費＝制作が跋扈（ばっこ）する以前から、そうした試みはあった。アニメをまなざしてもねじれた空間しか立ち上げられない私たちの目の不能に対して、京都アニメーションは以前から意識的な表現を行っていたのだ。そのことを示すために黒瀬は『涼宮ハルヒの憂鬱』において主人公のキョンとハルヒが出会うシーンを取り上げる。

高校での新生活、教室での自己紹介のシーン。ハルヒの自己紹介において、その巨大な目をクロースアップして映したショット。そこから、カメラは、ハルヒの目に押し出されるように後方へとズームアウトする。そうして私たちが見ることになるのは、ハルヒが見ている空間、彼女の視界だ。キャラクターによってまなざされることで、ひとつの空間が、教室が立ち上がる。背景としての教室とキャラクターの分離を、再度統合するのは、私たちではなくキャラクターなのだ。彼女のまなざしこそが世界を組織する。つまり『涼宮ハルヒの憂鬱』の視聴者は、キャラクター「を」見ているのではなく、キャラクター「に」見られることで立ち上がる空間を見ている。そのことを黒瀬は指摘した。[27] こうした出会いの演出は『AIR』や『CLANNAD』（２００７年）などの京都アニメーションの過去作品にも類似したシーンを見出すことができるものだ。

さらに黒瀬は、こうした演出を、西洋絵画における「逆遠近法」という技術と比較する。

通常の遠近法では、画面の外側にある私たち鑑賞者の実際の目の位置に、画面内の空間を成立させる超越的な視点が設定される。透視図法と呼ばれる技術だ。それによって私たちは画面の前に立つだけで、統一された連続的な空間をまなざすことができる。

しかしイコンやモザイク画に代表されるビザンティン絵画で確認される逆遠近法では、空間のイニシアチブが画面内の図像の目にある。そこに「空間のようなもの」があったとしても、それは私たちのいる空間とは不連続なものである。

> ここには、遠近法的空間における「見る」「見られる」という関係のかわりに、図像の「目」によって一方的に「見られる」という関係がある。そして、私たちのいる空間自体が、図像の「目」によって「見られる」ことで組織されている以上、私たちにその視線から逃れるすべはない。[28]

黒瀬は、私たちとキャラクターもまた逆遠近法的な関係を持っていることを指摘する。私たちは、空間が成立する根拠を、キャラクターの目へと還元することで、そこに空間を成立させるのだ。

そうして私たちはキャラクターと共同することで世界を制作する。つまり「する／される」ではなく、キャラクターやイコンの認識の内側に巻き込まれていくように画面を作るのが逆遠近法なのだ。

しかるに『ヴァイオレット・エヴァーガーデン』を通じて論じてきた自動手記人形という執筆主体は、京都アニメーションが15年以上向き合ってきた消費＝制作のあり方、私たちとキャラクターの逆遠近法的な関係を継承しながら、発展させたものなのである。それはたんなる継承や発展には収まらないのだが、その前に私たちはひとつの事件に触れなくてはならない。

傷ついた夢

２０１９年7月18日、凄惨な事件が起こる。京都アニメーション放火殺人事件だ。京都市伏見区の第一スタジオに青葉真司被告が侵入し、バケツからガソリンをまいてライターで着火したことにより、爆燃現象が発生した。結果としてスタジオは全焼、社員36人が死亡、32人が重軽傷を負うこととなった。日本国内の事件では過去に例を見ない大惨事である。犯行後、青葉は現場を後にして逃走するが、追いかけてきた男性社員に路上で取り押さえられ警察に確保される。逮捕される際にも「触るな。おれの作品をパクりやがったんだ。社長を呼べ。社長に話がある」「ここで倒れているわけにはいかない。これから宇治の本社に行かないといけない」などと叫んでいたという[29]。

このスタジオで作られた作品を数多く見て育ってきた僕は、ニュースを知ってなにも考えることができなくなってしまった。これは本当に誤った防衛反応だとは思うのだが、数年のあいだはどうしてもアニメを見ることができない時期が続いた。むしろ無関心であるかのように振る舞ってしまったようにも思う。だがこうして文章を書いて、言葉にすることで、少しずつ京都アニメーションの作品と向き合うことができるようになった。それは当の京都アニメーションの作品に教えられたことでもある。書くことのお陰で救われたし素晴らしい作品を見ることの豊かさを完全に失わなくて良かったと思う。

しかし執筆のためとは言え、事件のことを調べるときに前向きな気持ちのままでいることが可能かと言われれば、やはり難しい部分もある。だがそれでも生きている者の責務として、言葉をつむぎたいと思う。

『ヴァイオレット・エヴァーガーデン』や京都アニメーションに向き合い直すきっかけをくれたのは、ひとつのテクストだった。

それは事件から月日が経たないうちに批評家の黒嵜想が書いたものである。そのため、その後の公判と食い違う部分もあるかもしれない。執筆時の日付をタイトルとしてインターネットに投稿されたブログのようなテクストは、どうにか事件と向き合おうとする書き手の想いが読む者の内側へと侵食するようで胸をヒリつかせるが、だからこそ、ここでは黒嵜のテクストを引用しながら論を進めたい。

「怒りと憐れみ、二つの感情が大きく渦巻いている」と当時のマスメディアやソーシャルメディアの状況について記す黒嵜は、怒りや憐れみによって「喪われたものへの思いが置き去りにされているように見えてしまう」と述べる。その上で、彼は、喪われたもの、傷ついたものをまなざすように促す。

傷ついたのは、「共に作る喜び」、それを信じ続けた日常に他ならない。犯人が京都アニメーションに受け入れて欲しかったのは小説という形式の制作物だった。彼は同社作品の「原作者」として名前を刻みたかった。[30]

この事件は二つの引用不可能性を生じさせてしまったのだと黒嵜は述べる。それは第一に、作品を愛する人々が「キャラクターや設定を、ときには場所や楽曲を、引用し創作する」ことである。こうした営みを縮めて表現する言葉が「二次創作」だったのなら、批評家でもある黒嵜は「ゼロ年代批評」と呼ばれたアニメや漫画に対する批評のブームも、引用による創作の営みだったのだろうと回想する。作品の周囲にある名前や設定、形や音を引用することで多くの人々が作品世界と戯れていた。それは先ほど述べたような逆遠近法的な関係なのだが、そうして虚構と現実という隔てられた空間を行き来することの最悪の結末がこの事件だった。[31]犯人が叫んだ「パクりやがった」という言葉は、引用を通じて「共に作る喜び」を堪能することを私たちに躊躇(ちゅうちょ)させる。ただ作品を見せるのではなく、作品を愛する人たちがキャラクターを引用して新たな物語を作り出すこと。その時空を超えた共同制作は、精緻(せいち)な画面と丁寧な作品作りで知られる京都アニメーションが育て続けた夢だった……改めて記すまでもないことだが、京都アニメーションの人々は、徹底的な被害者である。彼ら、彼女らになにかの責任が帰せられることはありえない。だからこそ、もうひとつの引用不可能性が生じる。

第二の引用不可能性は、作家たちの名前に対するものだ。アニメにおいて、キャラクターの裏にはアニメーターや演出家、声優や音楽家などの多くの顕名の作家の名前が渦巻いてきた。しかし他方で、特定の作家名にキャラクターを帰属させないことによって、私たちはキャラクターがそれぞれに生きているのだと感じる。ここまで論じたヴァイオレットも、数えきれないほどのアニメーターが描くことで存在しているのだが、そこから自律したものとして彼女の生を捉えることでキャラクターを愛することができるのだ。黒嵜の表現に従えば、「本来はばらばらに描かれた絵を、私たちは仮現運動という錯視によって一つの運動体とみなす」[32]のだ。つまり複数のアニメーターが描いた何枚もの画像を、ひとつのキャラクターとして認識することがアニメ鑑賞なのである。

人々はキャラクターだけでなく、そうしたたくさんの作家たちを愛してもいるのだ。しかしこの事件で喪われたものたちの名前、それを引用することは困難である。こうした名前の引用不可能性は、報道においても、被害者の実名公表の是非として議論された[33]。

黒嵜が繰り返す「身を裂くような思い」、そして「傷」とは、こうした二重の引用不可能性に由来するものだろう。一方でキャラクターや設定を、もう一方で作家たちを、引用することが困難になってしまった。

作画スタッフや声優の名前を見つけ追跡し、彼ら彼女らの固有性を見つけつつも、孤独に映像に向き合うときには、それらの存在を忘れなければキャラクターは生きない。逆に言えば、そうであるからこそ、キャラクターは特定の名前に帰属せず、自分の手元でだって生かすことができる[34]。

作家の名前を忘れることで、匿名の人々は自らキャラクターを描いて二次創作することができる。しかし京都アニメーションは、作品のオープニングやクレジットに刻まれた「名前を持つ作家」だけでなく、作品を愛する無数の「名前のない人々」を大切にしてきた。そこにこそ「共に作る喜び」があった。

個人制作を不当に搾取されたと（事実は異なるとしても）訴える彼の言葉は、「顕名の不平等」を訴えるようなものに映る。それは決して擁護できない動機であるし、そのうえ、間違っている。京都アニメーションの作品は、そのような不平等に抗する「共同制作の平等」を守るものであったからだ。だからこそこの悲しみは、彼ら彼女らが描き守った「日常」を、本当の意味で虚構に帰してしまう。[35]

そうして黒嵜は、京都アニメーションの「共同制作の平等」という夢が傷を負ってしまったことを記す。青葉による凶行は、自らの無名性のなかに不平等を感じ取ったが故になされたのかもしれないが、それは被害者の人命と同時に、京都アニメーションの人々が守ろうとした夢を傷つけたのだ。

怒りと憐れみは、二つの引用不可能性を前にして分裂した、喪の感情である。匿名の平等が顕名の不平等にとって代わる現実のなかで、京都アニメーションが虚構を通して育んだ夢は、共同制作の平等であった。傷を負ったのは、この夢を信じてきた日常である。犯人の言葉はこの夢をばらばらに打ち砕くものであり、喪われた名前は散らばった夢の欠片に刻まれている。[36]

だがそれでも黒嵜は「共に作る喜び」を、その力を再度強調する。

現実と虚構が耐えがたい喪失によって結ばれてしまい、怒りと憐れみ、顕名と匿名、制作と消費、オリジナルとコピーが、事件をめぐってふたたび強く分かたれるとき、私たちはこの力をこそ使い、現実と虚構の関係を新たに作り直さなければならない。それは、喪われてしまったものと遺されたものの関係を、この「傷」によって、新たに作ることを意味する。[37]

彼が語るような「共に作る喜び」や「共同制作の平等」を、事件前の京都アニメーションが自ら描いた作品こそが『ヴァイオレット・エヴァーガーデン』だったはずだ。戦時下の世界で「武器」だったヴァイオレットは、その後の世界で「自動手記人形」となる。それは戦場で亡くなったギルベルトが残した「愛してる」の意味を知るための、「愛してる」を通じて生き抜くための変身物語だ。

本章における記述は、放火殺人事件の加害者の擁護や被害の軽視を意図したものではない。しかしそれでも誤解を恐れず言えば、そのような凶行を決断してしまった人間と「自分は違う」のだと思い込むのではなく、僕を含めた人々もそうした凶行に及ぶ可能性を完全には否定できないなかで、人間が、それでも明日以降を生きていくために、どのような未来があり得るのかを考えるために言葉をつむいでいる。私たちが犯罪者でない／犯罪を犯さない可能性は、ゼロではない。もしかしたら昨日、取り返しのつかない傷を誰かに与えたかもしれないし、これから先のことは分からない。そんな思いが僕のなかにはある。許されざる罪について想いを馳せることも、物語の力なのだ。

本来であれば、『ヴァイオレット・エヴァーガーデン』は、京都アニメーションの作品を愛する人々が自分たちの営みを美しく捉え返すための好機となるものだった。二次創作においていくつもの名前を引用して作品世界と戯れる時間は、代筆において自分とは異なる身体を通じて／一体となって手探られていく「愛してる」の意味を探る旅の等価物だったはずではないだろうか。

しかしそこにある喜びや愛は傷つけられてしまった。だがそうだとしても、この「傷」を通じて、喪われたものと遺されたものの関係を新たに作ることができるかもしれない。黒嵜はそう指摘する。この傷に怒り、憐れむだけでは、『ヴァイオレット・エヴァーガーデン』を作った人々の想いは報われないのだから。

背景への落下、傷によって結ばれるもの

テレビシリーズの第7話で、ヴァイオレットは、戦時下において自らが誰かの未来を奪っ

のではないかと思い、悩む。誰かの「いつか、きっと」を奪ったのではないかと。そう、彼女は「武器」として人を殺してきたのだ。

しかし、それでも本作では「書くこと」が希望をもたらすことが示される。このエピソードで彼女は人気戯曲家のオスカーの元へと出張して、新作の代筆を請け負うことになる。依頼主のオスカーは酒に溺れていた。部屋は汚く、ヒゲも伸びきっている。過去に彼は、妻と娘を病で亡くしていた。そんな彼の新作は、生前の娘に語った物語である。戯曲の主人公はオリーブという精霊使いの少女だ。おそらく実娘のオリビアから名前を取ったのだろう。オリーブは冒険し、水の精霊の力で火の谷を越え、剣を手に入れて、怪物を倒す。口述筆記として代筆した物語の感想を、オスカーから尋ねられたヴァイオレットは「本当の話ではないのに自分が体験しているようです」「自分がこのオリーブという少女と同じように喜んだり、悲しんだり、不安になったりする」と述べる。彼女は戯曲の代筆を通じて少しずつ感情の機微を知る。

しかし怪物を倒したオリーブが精霊使いの力を失ってしまうとオスカーに言われ、ヴァイオレットは「どのように父親の待つ家に帰るのか」という素朴な疑問を持つ。この疑問に答えることがオスカーにはできない。これは実際に娘に話したときには完結しなかった物語のなかの少女が父親のところまで帰ってくるシーンをイメージすることが、どうしても彼にはできなかった。

思い悩んでいるところで、ヴァイオレットが家の中からフリルの付いた日傘を見つける。これは今はなき娘が大切にしていたものだという。彼は、その傘によって娘の言葉を思い出す。「私が湖を歩くところ、いつか見せてあげるね」。

そしてオスカーは、傘で空を飛んでオリーブが父の元まで帰ってくることを思いつく。戯曲のなかで、怪物を倒したオリーブに、風の精霊がもう一度だけ力を貸してくれる。「その傘があなたの翼よ。高く飛ぶと風に流されるから、海では波を、山では岩を、湖では落ち葉を踏んでいきなさい」。だがそうして帰還したオリーブが父親と再会したとき、娘が述べる台詞までは思いつかない。それでもイメージを摑むことを諦めないオスカーは、ヴァイオレットに湖のほとりを歩いてみてほしいとお願いする。そのとき彼は小声で「できたら落ち葉の上を」と呟く。そしてヴァイオレットは、娘が大切にしていた日傘を差しながら走り出すのだった。

全力で駆けるヴァイオレットは水面に浮かぶ落ち葉の上に立とうと、走る。その姿のなかに、オスカーは、娘の姿を重ね合わせる。娘の記憶が流れ込む。娘の声が呼び起こされる。「私もこの湖を渡ってみたい」「落ち葉の上なら歩けるかな」。助走をつけて水面へと飛び出すヴァイオレットのハイヒールの踵が、水面をすべる。湖の表面を切る。ガラスが揺れるようなきらきらという美しい音と共に、七色に輝く水の反射。今は亡き娘の記憶。

「いつかきっと、見せてあげるね。お父さん」

水面に反射する世界、ヴァイオレットの姿。涙で滲んだような色彩と共に、父と娘の記憶が画面を走り抜ける。そして一瞬だけ落ち葉の上に立つことに成功するヴァイオレット。それをカメラが映し出す。「お父さん」。娘を想って、目尻を濡らすオスカーは思わず口にする。

「あと何千回だってそう呼ばれたかった。死なないで欲しかった。生きて、大きく、育って、欲しかった」

しかし全身が湖の水面を割る音とともに、ヴァイオレットは水中へと落下する。普段は感情を露わにしない彼女が、息を切らして言う。「いかがでしたか！　3歩は歩いていたかと思います！」。そして戯曲が完成する。

湖の上を歩こうとして落下するシーンは、先程述べたような、背景とキャラクターの分離によって特徴付けられた日本のアニメに対して、自動手記人形が持つ特異性を示している。ここで自動手記人形は、そのサイボーグ的な身体のすべてでもって、背景の前に置かれたキャラクターであることを超えて、その背景の上に立とうとして、その背景のなかへと落下していく。この水中への落下は、逆遠近法的に築かれたキャラクターと私たちの関係を、まったく別のところへと連れ出すものだ。このシーンは死んでしまったものと、遺されたものが「共に作る喜び」を通じて出会い直す可能性を、その夢を美しく描き出したものに思えてならない。

つまりキャラクターが見ている空間をまなざすのではなく、キャラクターと共に喪われたものに向き合い、その傷を通じて現実と虚構の関係を新たに作り直して、喪われたものに出会い直す可能性だ。

実際本作において、湖のほとりを走り、落ち葉の上に立ち、そして水中へと落下する自動手記人形の全身運動は、代筆のプロセスのひとつである。この落下こそが「代筆」なのだ。その運動を通じて、オスカーは新しい言葉を見つけたのだ。そうであるのなら、私たちも自動手記人形との共同によって、傷を通じて、関係を作り直すことで言葉を見つけることができるかもしれない。

こうしてヴァイオレットは代筆の仕事を終える。別れ際、オスカーは「君は死んだ娘の「いつかきっと」を叶えてくれた」と感謝を伝える。しかしこの感謝は、ヴァイオレットを「武器」であった過去へ、そして戦場で殺めてきた者たちへの懺悔に駆り立てる。『ヴァイオレット・エヴァーガーデン』の真摯さは、彼女の身体が、「いつかきっと」を奪うことも叶えることもできるという両義性を描き出したことだ。オスカーの過去作に記された「私はこの罪を引き受けて生きるしかない。この先、一生」という言葉は、ヴァイオレットに向けられたもののようにも思える。

京都アニメーション放火殺人事件における凶行は、決して許されることはない。被害者や、その遺族の悲しみは計り知れない。しかし、それでも、京都アニメーションによって作られた『ヴァイオレット・エヴァーガーデン』が教えてくれるのは、代筆的な想像力によって、共に作ることが、私たちの「傷」が、喪われたものと遺されたものの関係を新たに作り直す可能性である。

だが、それでも、現実の殺人と、物語のなかの殺人は異なる。あの事件は許されない。しかし私たちが罪を犯す可能性がないわけではない。それにこの事件のあとに遺された私たちが、共に作る喜びを捨てる必要はないはずだ。僕はそう信じている。そのためには、私たちが現実と虚構に同じように真摯に向き合う必要がある。

逆遠近法的な共同性を超えて、本作は、代筆的な共同性を生じさせる／共同性によって生じる自動手記人形という執筆主体を示した。『涼宮ハルヒの憂鬱』で象徴的に描かれたような1回的な出会いは、『ヴァイオレット・エヴァーガーデン』においては各話で繰り返されるものになる。彼女は挨拶する、「お客様がお望みならどこへでも駆けつけます」。本作で描かれたのは、自分だけでは確定し得ない想いにかたちを与えてくれる代筆者との出会いである。その出会いは、自分の想いを届けたい／届けたかったこの世界でただ一人の受け手、愛する者との出会い直しなのだ。生と死を超えて、私たちは代筆のなかで、愛する人と出会い直す。

代筆者は思考の外部装置であると同時に、愛する相手のアバターでもある。つまり私たちは代筆的な想像力において、不在の他者と出会い直すのだ。

そしてヴァイオレットは、背景とキャラクターの分離を超えて、逆遠近法のような絵画的な方法によってではなく、自らの全身を通じた世界への落下によって、人と人が共同する場所を制作するのである。サイボーグの跳躍によって立ち上がる空間こそが、「書くこと」の領域を創出する。

テレビシリーズの最終話で、ヴァイオレットはギルベルトの母と出会う。しかし年を重ねており、記憶が少し曖昧だ。息子の消息が不明であることも正確には理解していない。そんな母とヴァイオレットは対面する。彼女は「少佐は私を拾い、育て、使ってくれました」と述べる。しかし現状のギルベルトについて言い淀んでいると、母は「分かっているわ」と呟く。

「あの子は生きてる。心のなかで。だから決して忘れない。思い出すたびに辛くても。
だって今も愛しているんだもの」

この言葉がギルベルトの母によって、記憶の持続が失われゆく老年の人物によって、口にされたことがヴァイオレットの胸を打つ。いや、私たちの胸も打つだろう。母が述べた言葉を通じて、喪われたものと遺されたものの関係を新たに作るための言葉が「愛してる」であることを私たちは知るのだ。それは記憶の、つまり時間の一方向的な連続性が砕け散っていくなかで、それでも何かを信じようとする母の意志の現れである。「愛してる」という言葉を通じて、母は、息子への愛を作り直すのだ。それこそが依頼主と自動手記人形の中動態的な態度からはじまって、代筆を通じて創出された新たな主語の単位による能動性が求めるものである。「愛してる」。その意志ははじまりを司る。再び物語がはじまる。

代筆を通じて、私たちは、世界を制作し直すことができる。喪われたものは還らない。だが共同制作の夢を諦めなくても良い。代筆は何度でも主語を作り直し、新たな意志を開始させる。新たな関係性を、そして過去を作り直す。そこにこそ「愛してる」の、生者と死者が共にいることの、虚構と現実が交差する共同制作の夢があるのではないだろうか。

最終話のラストシーンで、ヴァイオレットは、人生ではじめての「自分の手紙」を書く。未帰還のまま消息不明のギルベルトへの手紙だ。送り先のない手紙は次の言葉で結ばれる。

「愛してるが少しは分かるのです」

こうしてヴァイオレットは、一人で生きるのではなく、多様な人々との断続的な共同生活を通じた代筆によって、そうして獲得された言葉を通じて、自らの想いをかたちにすることに成功する。彼女が「武器」であった過去は変えられない。しかしそれでも、書くことを諦めなかったからこそ会得された、共に作る喜びにおいてのみ理解できる「愛してる」は、とても豊かな輝きに満ちているだろう。

「ラブレターの書き方」のひとつのあり方とは、代筆を通じて新しい主語の単位を創出し、そうして世界と出会い直し、世界を再組織することなのである。そこで過去は、現在を起点に再発明される。時間は逆走する。「いつかきっと」を奪い、叶えるような機械。つまり自動手記人形というキメラ的な主体は、機械であると同時に人間であり、キャラクターであると同時に女でもあり、代筆者であると同時に依頼主でもあるのだ。そうした曖昧さを可能にする領域で、ラブレターは書かれる。ヴァイオレット・エヴァーガーデンは「書

く こと」の可能性を限界までひろげる方法を教えてくれるのだ。

本作には二つの劇場版がある。
しかしそれについては語らないでおきたい。皆さんに実際に鑑賞していただきたいから。

1 1953年、新東宝。原作は丹羽文雄『恋文』角川文庫、1955年。

2 「1945年8月、敗戦処理内閣は「一般女性」を米兵の性暴力から守るための国策売春施設としてRAA（特殊慰安施設協会）の設置を決定し、ただちにこれを実現したが、GHQ内の公娼制度に対する反発の声によって、翌46年3月にはすべてのRAAが閉鎖され、行き場をなくした女性たちは「パンパン」となることを余儀なくされた」、安城寿子「パンパン」『アートスケープ』（https://artscape.jp/artword/index.php/%E3%83%91%E3%83%B3%E3%83%91%E3%83%B3、最終アクセス2023年7月31日）。

3 「余録」『毎日新聞』昭和22年10月7日付。

4 テレビ東京『証言・私の昭和史6――混乱から成長へ』文春文庫、1989年、313頁。

5 同書、314-315頁。

6 シェイクスピア『ヴェニスの商人』中野好夫訳、岩波文庫、1973年。

7 Académie des écrivains publics de France（https://ecrivains-publics.fr/、最終アクセス2023年7月31日）。

8 Rachel O'BRIEN「すたれゆく手紙代筆業、インド・ムンバイ」日本版AFP、2014年1月8日（https://www.afpbb.com/articles/-/3006158、最終アクセス2023年7月31日）。

9 ロラン・バルト『恋愛のディスクール・断章【新装版】』三好郁朗訳、みすず書房、2020年、181頁。

10 國分功一郎『中動態の世界――意志と責任の考古学』医学書院、2017年。

11 同書、41頁。

12 同書、88頁。

13 國分功一郎「哲学対話 PARA SHIF「中動態」」公益財団法人せたがや文化財団 生活工房、2019年（https://www.youtube.com/watch?v=2O4PgrR1JEQ、最終アクセス2023年7月31日）

14 國分功一郎『中動態の世界――意志と責任の倫理学』医学書院、2017年、97頁。

15 同書、98頁。ハンナ・アレント『精神の生活（下）』、1994年、佐藤和夫訳、岩波書店、18-19頁。

16 國分功一郎『中動態の世界』133頁。そうであるが故に、アレントの定義する意志は、自由意志（liberum arbitrium）とは異なる。むしろ本書において自由意志は意思のない選択と関係づけられる。

17 同書、132頁。

18 ダナ・ハラウェイ『猿と女とサイボーグ——自然の再発明』青土社、高橋さきの訳、２０００年、２８７頁。

19 同書、３３８頁。

20 同書、３４７-３４８頁。

21 同書、２９６頁。

22 同書、３３５頁。

23 黒瀬陽平「キャラクターが、見ている。——アニメ表現論序説」『思想地図』２００９年、ＮＨＫブックス別冊、４４９頁。黒瀬はアシスタントスタッフの女性からセクシャルハラスメントを含むパワーハラスメントで２０２０年に訴訟された。２０２３年3月時点の裁判では、パワーハラスメントは認められなかったが、セクシャルハラスメントは認められた。本書は、彼のハラスメントの肯定のためではなく、彼に限らず他者を傷つけてしまったものたちが、どのように自らの罪とともに生きていくことができるのかを考えるために書かれている。しかし、ひらきなおったりして、罪を認めない人間のために書かれている訳ではない。

24 佐藤辰男『ＫＡＤＯＫＡＷＡのメディアミックス全史——サブカルチャーの創造と発展』ＫＡＤＯＫＡＷＡ、２０２１年、42頁。

25 黒瀬陽平「キャラクターが、見ている」『思想地図』２００８年、ＮＨＫブックス、４４９頁。

26 同書、４４３頁。

27 同書、４６０頁。

28 同書、４５５頁。

29 津堅信之『京アニ事件』平凡社新書、２０２０年。

30 黒嵜想「２０１９年8月19日」『ひるにおきるさる』note。

31 布施琳太郎「危険物としてのキャラクターの呼び声」美術手帖、２０１９年10月18日（https://bijutsutecho.com/magazine/review/20750）。これは、黒瀬陽平によってキュレーションされた展覧会「ＴＯＫＹＯ ２０２１美術展『un/real engine——慰霊のエンジニアリング』」のレビューだ。ここで僕は、虚構と現実などの互いに隔てられた空間の行き来から京アニ事件について論じている。

32 黒嵜、前掲書。

33 「京アニ放火殺人と実名報道　メディアはどう向き合ったか」朝日新聞、２０１９年9月10日（https://www.asahi.com/articles/ASM934GRLM93PTIL00R.html）

34 黒嵜、前掲書。
35 同書。
36 同書。
37 同書。

第二章　「私」の場所

2-1　寺山修司のラブレター

あなたの
一本の黒髪が
地平線になりました

寺山修司「愛する」[1]

前章では恋文横丁や自動手記人形による「代筆」を通じて、ラブレターの執筆主体を考えた。ここから考えるのは、そもそもラブレターが、言語表現として持つ可能性である。換言すれば詩的な技法として、つまり言葉の使い方としての「ラブレターの書き方」を考えるのが第二章の目的となる。そのためにまず辿るのは、寺山修司のラブレターである。

本書の冒頭で僕は「ラブレターの引用は不可能」だと述べた。たしかにラブレターに書かれた言葉の効果を、当の二人以外によって直接計測することはできない。だが演劇や詩、短歌のなかで巧みに言葉を操った寺山において、ラブレターにおける言葉が、愛する人に対してどのように働きかけるよう設計したのかを知ることは重要な足がかりとなるだろう。

1935年に青森県で生まれた寺山修司は、中学生時代からたくさんの俳句や短歌を書いていた。[2] 早稲田大学入学にあわせて上京した彼は雑誌『短歌研究』へ投稿した「チェホフ祭」が第2回新人賞で特選に選ばれ、激しい賛否を生む。その後、谷川俊太郎のすすめでラジオドラマのシナリオの執筆をはじめ、25歳になると売れっ子脚本家になる。1963年、27歳のとき、生涯のパートナーとなる九條今日子と結婚。『家出のすすめ』や『書を捨てよ、町へ出よう』などで、若者たちのカリスマの地位を築く。1967年1月1日、横尾忠則、東由多加、九條らと演劇実験室「天井棧敷」を結成。旗揚げ公演『青森県のせむし男』では「見世物の復権」を謳った。その後も市街劇の劇作やエッセイ、映画制作、詩や評論などの執筆、テレビ出演などの旺盛な活動を国内外を飛び回りながら行うが、1983年に肝硬変と腹膜炎の悪化のため敗血症を併発、死去。享年47であった。[3]

一方、女優として活動をはじめた九條今日子は、天井棧敷で演劇、映画プロデューサーを務めた。高校卒業とともに九條映子の名で松竹歌劇団の舞台でデビュー。数十本の映画にも出演。結婚後は寺山らとともに「天井棧敷」を設立するが、あまりに熾烈な生活によって離婚する。しかしその後も九條は、プロデューサーとして寺山の演劇や映画の製作を続け、寺山の死後は株式会社テラヤマ・ワールドの共同代表取締役として著作権管理を行うとともに、三沢市寺山修司記念館の名誉館長も勤めた。2014年、肝硬変によって死去。

二人は1963年から1970年にかけて婚姻関係にあり、その後も生涯にわたって公的なパートナーであった。離婚について、九條は「新しい演劇を次から次へと創っていく魅力の前には、私生活の必要はなかった」「寺山は才能があるし、忙し過ぎる。これ以上、家庭のわずらわしさにかかずらわせたくないの、それで解放してあげたのね」と述べており、それに対して寺山は「映子はプロデューサーとして、一流であると思っているが、夫婦という形に還元すると、僕に従属する所有関係に帰してしまう。これは完全な個人ではないわけで、そういったぎまんや矛盾を解消しよう」と述べた。[4]こうした変遷については、寺山の死後に出版された九條の著作で詳細に語られている。

あまりに多岐にわたる活動を行った寺山修司だが、本書ではラブレターという観点から彼のことを取り扱う。手紙魔としても知られる寺山は、数多くのラブレターを九條へと送ったのだ。[5]

当初の寺山は「女優・九條映子」のファンだった。そんな寺山は、1960年7月10日に映画監督の篠田正浩と飯田橋の旅館で泊まり込みの執筆をしていた際に、九條と初対面する。そして手紙の交換がはじまった。１９６３年には結婚することになる二人だが、そんな二人の関係のはじまり、寺山から九條へのラブレターを見てみよう。これは京都の撮影所で女優として働く九條への手紙だ。

第一信

仕事はうまくいっていますか？

僕の方は少し落着いて勉強しています。

浦田やみっちゃんとトランプしていても何か物足りない。東京は雨がちで急にさむくなったようです。

帰ってきたらクラブへいこう、帰ってきたらドライブしよう、帰ってきたらがしんたれ観にいこう、帰ってきたら谷川夫妻と食事しよう、帰ってきたらしたいことが一杯ある、立てたい計画も一杯ある……。これから毎日手紙かくつもり。遊びすぎないこと。お元気で。KASABUTAをかゝないこと。

my dear A子

修司[6]

この手紙の左端には、佃公彦による4コマ漫画『ほのぼの君』の切り抜きが貼り付けられている。レコードプレーヤーから流れる音楽と共に二人の子どもが踊り出すセリフのない漫画だ。彼のラブレターにおいて重要なのは、ただ自分の想いを書き記すのではなく、相手へと語りかけながら、愛する人と過ごせない時間の不満をささやきつつ、そんな相手と過ごす時間を夢見る様を恥ずかしげもなく示す姿である。さらに彼はそんな言葉を、切り抜かれた漫画とともに併置したりもする。

つまり恋心が、ラブレターの書き手である寺山修司によってではなく、その受け手によって読まれるなかで構築されることが示唆されているのである。これらの言葉やイメージといったフラグメント（断片）は、書き手ではなく読み手によってひとつの想いとしての形を得るのだ。ラブレターにおける愛のメッセージは、あらかじめ形を持つのではなく、受け手によって発見されるときに最大の効果を発揮する。それは演劇人でもある寺山からすれば、恋する二人が相互に観客化するような、演劇的な状況だとも言えるかもしれない。寺山は、そうした偶然的な出会いを、演劇として設計することで「市外劇」を作ってもいる。[7]

ラブレターを受け取った九條は、自身の著書で、「相手が父や弟などとちがい、まったく未知の男性であることに私は改めて気づきはじめていた」「そうか。敵は詩人なんだ」

という言葉を残している。[8] そして寺山も、ただのファンから、特別な存在へといたるための直接的な言葉を残している。

ぼくが今、愛しているのは九條映子ではなくて、田中映子なのだ、ということをわかって下さい。ぼくは女優九條映子のファンだったけど、ぼくの恋人は素直で、さっぱりした気性の田中映子の方なのです。[9]

ひとつ注釈を加えておくと「九條今日子」は、女優としては「九條映子」という名前で活動しており、そして出生時の名前は「田中映子」である。そのため引用内での表記ブレが生じている。だが本書において記述する際は、最終的に彼女が名乗ることにした「九條今日子」に統一する。

さて、別の手紙も見てみよう。

Qの原稿料は、電話したらまだ出ていない。きみからは手紙も電話も来ない。
「猫と女は呼ぶとにげて、呼ばないと近よってくる」というメリメの詩を思い出した。
だから呼ばない方がいいのかも知れない。

第四信より抜粋[10]

こっちからかけた電話と、そっちからかけた電話が、全く同時刻だったというのは何というい〻タイミング。

以心伝心ということばを知っていますか。

いま、夜二時。

第五信より抜粋[11]

寺山のラブレターにおける言葉の操作、つまり二人の関係に対する言葉の効果に目を止めてみると、そこではいくつもの要素が多様な方法で横並びにされていることが分かる。漫画の切り抜きが貼り付けられた第一信においては「僕の勉強」と「あなたの仕事」が併置される。第五信では寺山と九條は「全く同時刻」に相手の番号を入力した。また別の日には原稿料についての電話も、きみからの電話も「ない」。猫も女も呼ぶと来ないのだから、呼ばない方がいいのかもしれない（では原稿料の交渉は?）……ここで抜粋した手紙に共通するのは、ひとつの動作や行為、物事の性質が、様々な主語のあいだを縦横無尽に走り回ることである。僕ときみが、きみと原稿料が、猫と女が、固有の動作のもとで一体化する。

寺山のラブレターにおいて、複数の名詞（主語）は行為によって併置されて一体化するのだ。そこには遠く隔てられた恋人同士、あるいは恋人未満の二人が、ラブレターという言語表現において、二人の距離を克服しようとする時間をロマンスとして堪能する様子が見てとれるだろう。

また第四信は、以下の言葉で締めくくられている。

さむくなったけど体に気をつけること。
紙上でキスを送ります。

「そちらはさむいだろうけれど」「さむくなったけど」などと書けば二人の距離が強調されてしまうわけだが、は同じ気候の地域に住んでいれば共有できる事象だ。そうして唐突に距離が克服され、消滅する。二人だけの社会が立ち上がる。そしてひとつの「寒さ」を共有した上で、その共有のメディアであるラブレターを通じて「キスを送ります」。こうして寺山と九條は、ラブレターを通じて二人の社会を共同制作し、相手との関係が親密になっていくなかで言葉を尽くした。

そんな寺山なりのラブレターの書き方は、詩作についての彼の言葉に凝縮されている。

私はふと、ペンではなく、彼女自身の動作でもって一篇の詩をかきたい、と思う事があるのである。[12]

これは九條への想いを起点として、寺山が残した言葉である。この短い一文において、彼は、執筆の前提を「ペンで書く」から「彼女の動作で書く」へと移行させようとしている。それはここまで読解してきたように、彼のラブレターにおける言葉の効果として確かに認められるものだ。愛する相手の動作を通じて、主語が、文が、そしてラブレターがつむがれていく。それと同じように詩を書こうとしているのだ。

そうした書き手やペンの脱中心化について、寺山の詩では「海を書くのではなく／海で書きたい」と記されてもいる。[13]それは離婚する際の寺山が「夫婦という形に還元すると、僕に従属する所有関係に帰してしまう」と指摘したのと同じように、手紙や詩、短歌において愛する人や物について描写することが、対象の所有にはならないようにする気遣いでもあるだろう。

寺山のラブレターで夢見られているのは、彼女（九條）の動作によって私（寺山）が構築されるような交叉的な場所なのだ。それは、おそらく虚構のなかにしかない場所である。だけどそれが二人の真実となる可能性もある。

2-2　日本語の問題

短歌における人称

少し寄り道をしてみよう。寺山は、ラブレターだけでなく、九条へと捧げる短歌も遺している。それらを出発点として、ラブレターにおける人称について考えたい。

パンとなる小麦の緑またぎ跳びそこより夢のめぐるわが土地

きみが歌うクロッカスの歌も新しき家具の一つに数えんとする

一本の樹を世界としそのなかへきみと腕組みゆかんか　夜は[14]

私たちは、これらの短歌において、ラブレターと同じように「彼女の動作を通じて／読み直すごとに組織され直していく場所」に注目すべきである。小麦とパンという異なる状態へと想像力が「またぎ跳び」、新生活が「きみが歌うクロッカスの歌」によって組織され、腕を組む恋人たちは「一本の樹を世界」とする。そうして動作を通じて、主語を置き去りにして、世界がつむがれていく。

短歌は「一人称の文学」とも呼ばれている。しかし寺山の「彼女自身の動作でもって一篇の詩をかきたい」という言葉は、短歌の一人称性からの逸脱を感じる。やはり「主語を置き去りにして」。しかしそんなことが可能なのだろうか?

この問いが本書にとって重要なのは、短歌だけでなく彼のラブレターが、文中の動作を通じて、読み書きする主体の輪郭や位置を揺さぶるからである。

そもそも短歌が「一人称の文学」であるというのは、近代化する日本において急速に整えられた考え方である。1900年に創刊された雑誌『明星』を主催した与謝野鉄幹は、ラファエル前派やアール・ヌーヴォーなどの美術といった新しい教養の必要性を説くと同時に、新派和歌における主題を「「我」、すなわち近代的自我に置くべきだ」主張した。[15] そうして明治期以降、近代文学の成立や新体詩などとの相互作用のなかで、短歌は発展してきた。

さらに近代化する日本のなかで、短歌は「一人称の主語＝作中主体＝作者」としての印象をより強固に強めていく。つまり「われ」「僕」「私」といった一人称単数の主語が短歌のなかに書き込まれているとき、その作品は作者の私的体験や思想の告白として読まれるようになっていったということだ。

こうした理解が、今日の短歌批評でも見られるとして、２０２２年に雑誌『短歌』において組まれた特集「人称フロンティア」は現状を批判的に検証する野心的な企画であった。この特集は谷岡亜紀による論考「〈私〉とは誰か」からはじまる。谷岡は短歌に関する批評の審査に携わるなかで、新たな書き手たちが同じ理論構成を反復していることを指摘する。繰り返される構成とは、まず「作中主体＝作者」として一人称を用いる近代短歌があり、その規範がソーシャルメディアの浸透によって揺らぐ現代短歌といった図式だ。「人称フロンティア」という特集は、そうして画一化していく短歌理解の状況への問題提起である。

谷岡は、公募に集まる応募作の多くで岡井隆の『現代短歌入門』[16]からの引用がなされていることを指摘する。それは「短歌における〈私性〉というのは、作品の背後に一人の人の――そう、ただ一人だけの人の顔が見えるということです。そしてそれに尽きます」という一節だ。もはやクリシェと化した決まり文句を踏まえつつ、こうした岡井の記述が本来は「〈私性〉の活用」のためのバ、リ、エ、ー、シ、ョ、ン、のひとつに過ぎないことが谷岡によって指摘される。

その上で、谷岡は、「書く」ことは現実のメタレベルに身を置かざるを得ないので「演技」という概念と不可分であり、つまり「私、を語る私、を語る私、を語る私……」という多重構造のなかに短歌の人称はあるのだと述べる。だからこそ、この短い論考では、和歌における別の自分への「成り代わり」や「題詠」などにも触れられる。[17]

つまりそれは「書くこと」の、そして作中主体の非一人称性についての提起であると言えるだろう。１９８０年には批評家の柄谷行人が『日本近代文学の起源』のなかで、近代化して以降の人々が、近代以前の作品についても近代的な自己表現を見出してしまう問題を指摘したが、まさにそうした理解が無批判に反復されているのではないか？　という提起として谷岡の論考を読むことができる。

柄谷は、西洋近代における風景画の成立などを参照しながら「固定的な視点を持つ一人の人間」によって見られた世界、というのが近代的な捏造だとする。

明治以後のロマン派は、たとえば万葉集の歌に古代人の率直な「自己表現」を見た。しかし、古代人が自己を表現したというのは近代から見た想像にすぎない。そこでは、むしろ、人に代わって歌う「代詠」、適当な所与の題にもとづいて作る「題詠」が普通であった。[18]

「成り代わり」「代詠」においては、男性が女性の恋心を歌ったりもする。また一人で書くとしても、執筆主体は作中主体に対してメタな位置から書くしかないという点で、やはり書くことは「演技」と切り離せない。

また哲学者の坂部恵は「うた」や「はなし」との対比において大和言葉の「かたり」の位相を考えた。まず「はなし」は、素朴で生活的かつ水平的な関係においてなされるものであるとされるのだが、そんな「はなし」と比べると「かたり」は明確な筋（プロット）を持っている。そして「かたり」は「語り」であると同時に「騙り」でもある。例えば教師という「かたり」の主体は演じられた仮象であり、教壇の上の主体の二重性において、授業という「かたり」は可能になるのだ。つまり「かたり」における「演じられた主体」（私を、かたる私）という二重性こそが、「はなし」と「かたり」を区別する。この二重性は「はなし」にはない。

しかし人間同士の関係において生じる「かたり」は、「うた（歌う／謡う／唱う）」における神仏と人間といった垂直的な関係とも異なる。「うた」は人間と非人間が出会う場所であり、そこで言葉は上から下に「うたはれる」。

こうした「うた」の垂直性と「はなし」の水平性のグラデーションのなかに「かたり」は位置付けられる。[19]

さらに「はなし」と「かたり」がまったく異なる時間感覚のなかにあるという指摘は興

味深い。坂部によれば、「はなし」は「いま」において「来にし方（いにしえ）」と「行く末」を媒介する。そうして（いわゆる）過去と未来を現在が媒介する「はなし」に対して、「かたり」は「むかし」を取り扱うのだという。重要なことは「いにしえ」と異なり「むかし」の対応物は未来方向にはないことだ。むしろ「むかし」の対応物は「いま」であり、「むかし」は「かたり」によって現在のなかで演じられる。[20] 例えば、民俗学者の折口信夫は、歴史（実録）と伝説（虚構）を小説において交差させたとされるが、そこで呼び起こされる「むかし」とは未来方向の対応物を欠いたまま、現在において「かたられる」のだ。[21]

そして短歌の執筆は、坂部が指摘するような「かたり」の時間性とも切り離せない。作中に置かれた一人称は、過去と未来を媒介する超越的な私ではなく、異なる時空間を現在のなかで演じて現象させる存在なのだ。そこで人々は「かたってうたう」。

そうした「かたり」（騙り＝語り）を踏まえてみるのなら、短歌を、たんに私生活を吐露するような文学として理解するのは片手落ちである。

また谷岡は、短歌における一人称は「リアリズム」と「アイデンティティ」の問題と切り離せないことも指摘する。

例えば、参政権も遺産の相続権も持たなかった明治期の女性歌人や詩人たちにとって「書くこと」は、実際の政治の外で自らを主体化する試みでもあった。[22] そうした意味で、短歌は近代化のなかで日本語のあり方を意図的に脱構築する政治的な試みでもある。しかしその場合も、ただたんに私生活の告白をしているだけの「一人称の文学」と見なすのは歴史理解の欠如でしかない。

そうした〈私性〉の揺らぎから短歌について考えるための足場として、谷岡の論考は世に出されたと言える。

雑誌『短歌』における「人称フロンティア」特集は、歌人たちへの「短歌は一人称の文学だと思いますか?」といった質問やアンケート、複数の論考が続く。そのどれもが興味深いのだが、なかでも歌人の斉藤斎藤による論考は、一人称が作品内に登場することと、作品内の視点が一人称的であることが「反比例の関係にある」ことを指摘する点で興味深い[23]。そこで取り上げられる作品には、寺山修司によるものも含まれた。

海を知らぬ少女の前に麦藁帽のわれは両手をひろげていたり[24]

15歳の寺山が作ったという本作を読むとき、読者は、一人称の「われ」という言葉を通じて三人称的な「神の視点」から情景を想起するだろう。つまり麦わら帽子を被った「われ」の視界ではなく、そんな「われ」が少女の前で夏風に吹かれながら両手をひろげる情景を俯瞰して想起する。つまり「われ」という主語があるからといって、ひとつの短歌が、一人称的な世界を描写して想起させるわけではないのだ。

寺山の短歌を引用しながら、斉藤は「一人称視点とは「（私が内側から）感じる」こと」であり、「三人称視点とは、外側から「私について語る」こと」だとまとめている。そうであるのなら、寺山の場合、一人称の主語は、一人称と三人称という複数の視点を蝶番する回転装置となる。つまり一人称的視点と、神のように客観的で三人称的な視点の交配のために「われ」という主語が導入することができるのだ。

そうであるのなら、近代的で超越的な「私」の揺らぎこそが、短歌における人称の実験なのである。

無私とリズム

ここで寺山と同時代に生きた歌人の岸上大作による論考を見てみよう。安保闘争にも積極的に関わった大学生の岸上は、1960年末に失恋を理由に自死している。ここで参照するのは1960年の雑誌『短歌』に掲載された論考で、少し年長の寺山修司から影響を受けつつも、政治的理由から対立するようになった岸上の想いが凝縮されたものだ。

まず岸上は、寺山の短歌を、リズムと一人称のあり方から整理した。

五音・七音を基調とした、原則的に「5・7・5・7・7」五句三十一拍の短歌の「リズム」の駆使と、多様な状況における「われ」の設定とをその特色としている。[25]

こうした指摘の根拠として、寺山自身が繰り返し短歌のリズムについて語っていることが示される。寺山は「短歌とは五七五七七という様式であり、それ以外の何ものでもない」「三十一字という拘束は匿名的な短歌ジャンルの唯一の特色」と述べ、さらに短歌は「リズムによって社会性を保ちうる」と宣言する。

こうして書き抜かれた言葉を引き受けながら、岸上は、寺山が繰り返し作品で用いる「われ」に注目する。その「われ」はここまで論じてきたように、「私性」の揺らぎと関係するものだ。

寺山修司は、リズムの駆使によって、現実にある「われ」の私小説的告白ではなくて現実にありうる「われ」を描いたのだし、またそのゆえにその「われ」が読者のなかにおいても普遍的に存在することをかちとつた、つまり社会性を獲得した。[26]

こうして寺山は、短歌のリズムのなかで、あり得るかもしれない「われ」を構築することを通じて、読者のなかの「われ」を活性化する。そうして獲得されるのが、社会性である。実際、先ほども引用した「きみが歌うクロッカスの歌も新しき家具の一つに数えんとする」の制作にあたっての寺山との会話について、九条は、寺山の作品がたんに私的なものではないことを回想している。

「クロッカスっていう花、知ってる?　いま、あなたをテーマにした短歌をつくってるんだよ」

そう言われても、私はクロッカスを知らない。短歌というものは、実際に身の回りにあったことを詠むものとばかり思っていたので、作り手の想像力でつくることもあるんだということを、私は初めて知ったのだった。[27]

つまり寺山の短歌世界は、私生活の告白ではなく、想像力を通じて書き起こされた架空の世界なのである。寺山の第一歌集として1958年に刊行された『空には本』の「僕のノオト」で彼は以下のように述べている。

ただ冗慢に自己を語りたがることへのはげしいさげすみが、僕に意固地な位に告白癖を戒めさせた。「私」性文学の短歌にとっては無私に近づくほど多くの読者の自発性になりうるからである。[28]

寺山は、自分自身について語りたがる歌壇を軽蔑しつつ、私的な告白から離れて「無私に近づくほど多くの読者の自発性」を獲得できると考えた。無私であることが同時に、他者との出会い、つながる理由になると考えるところには短歌に限らない彼の魅力がある。実際、後年の演劇活動などはそうした思想に支えられていた。

彼の短歌においては、様々な読者のなかに普遍的に存在する「われ」の活性化こそが読者の自発性の理由となり、そのために一人称をリズムのなかに配置する。こうした言語操作こそが寺山による社会性の詩的獲得の戦略だ。

しかし岸上は、そんな寺山の社会性を批判する。その批判は、安保闘争に身を投じる20歳の青年による異議申し立てだ。

寺山修司は、その短歌リズムの駆使あるいは短歌リズムへの投身によって、「われ」を多様な状況に設定し、つまり拡大安定期にある日本の国家独占資本主義社会の現実に呼応・迎合し、「われ」をそこへ拡散し、そこで「われ」を喪失する。そのことが、寺山修司のいう社会性なのであり、また「われ」を喪失し、それに呼応・迎合することが現代社会でいわれるところの社会性でもあるのだ。[29]

彼は寺山の社会性を批判する。岸上いわく、寺山は多様な状況に設定した「われ」によって、現実に「呼応・迎合」し、「拡散」させることで自己を「喪失」したのだという。それが寺山への批判である。もちろん寺山も岸上も1960年という時代状況、政治的緊張のなかで生きていた。だが当時の寺山が獲得した「社会性」に対する岸上の批判は、僕には、あまりに学生運動的な革命的政治主体を前提とし過ぎているように思えてならない。もちろん寺山は政治に無関心だったわけではない。そして、たんに拡散して消滅していく自己に酔いしれていたわけでもない。無私であることが、同時に、他者との出会い、つながりの理由になると寺山は考えたのである。無私によって制作される読者の自発性とは、「現実原則に対抗する」想像力のためのものとして捉えることができるものであり、[30]その対抗のために様々な読者のなかに普遍的に存在する「われ」を活性化することを試みたのだ。

寺山は「政治は私たちの人生にとって、手段ではあっても目的ではあり得ない」とも述べている。[31]言い換えれば寺山は、国家という現実への迎合ではなく、「われ」が喪失されたところで生じる世界（それを「虚構」や「シュルレアリスム」と呼ぶこともあるだろう）を制作しようとしたのだ。

寺山が「ペンではなく、彼女自身の動作でもって一篇の詩をかきたい」と述べるとき、彼女の動作を起点として書き取られる世界とは、決して「書き手の現実」ではないのである。それは可能かもしれない現実であり、あり得るかもしれない「われ」へと到達するための、無私への賭けなのだ。寺山は、安保闘争に身を投じながら短歌を書いた岸上とは異なる賭けを行ったのである。

寺山において重要なことは、短歌リズムにおいて、多様な状況に設定された一人称単数の主語が、一人称と三人称の視点を回転させながら、そんな主語が読者の自発性を刺激することである。一定のリズムで区切られ、繰り返される三十一音は、読者の前にある言葉を通じて、それぞれの世界制作を可能にするのだ。それは書き手の私生活とは一定以上無縁である。寺山は『幸福論』のなかで述べる、「想像力を媒介としない唯物史観は、何一つ変革することなどできない[32]」。

そして『ラブレターの書き方』という題の本を書こうとする僕は、そうして読み取ることのできる寺山修司の思想に共感する。目の前の現実を認めながら、しかし想像力を媒介として、人々の偶然的な出会いの領域を言葉でもって切り開こうとした彼の思想に。

書き手の「われ」が現実へと拡散して喪失することによって、読み手の側が「われ」を再発見し、自らの生を活性化したり再構築する契機になるような言葉。そうして双方向的に制作される世界。そこにある言葉は、私生活や実際の過去からはかけ離れたものかもしれない。しかし恋人同士が交わす言葉が現実に即している必要があるだろうか？　見つめ合う二人は、想像力を通じて二人だけの世界を制作するときにこそ、より深く通じ合うのであり、そのために過去を「かたる」。騙って語る。なんでもない日の出を、色を変える夕空を、特別なものとして飾り立てる。その「かたり」は、誰かを騙すための嘘ではなく、二人であることの孤独のための、美しく強固な虚構である。いや、現実と虚構の関係が新たに作られるのだ。そうした世界の作り直しのために、私たちは言葉を使うことが、書くことができるのである。

短歌とラブレター

ではリズムのないところで、短歌において見出されるような人称の操作は可能なのだろうか？　この問いに答えなければ、寺山の短歌とラブレターを関係づけることはできない。

この点について、まず読者のあり方の違いから考えることができる。言い換えれば短歌とラブレターが要請する社会性の違いだ。

短歌は、徹底的に読者の顔が特定できない状態で書く必要がある。それは近代以降に限らず、勅撰和歌集などを通じて作品が流通する際にも同じことだ。あるいは題詠や代詠の場においては、複数人が制作に立ち会う。つまり短歌は、読み手として誰か一人を確定することができないところで、社会性を獲得しようとする。だからこそ、時間と空間を超えて共有可能な枠組みとして、リズムが要請されるのだ。

一方でラブレターは読み手の顔を想定する。はるか遠くに隔てられているとしても、もう会うことができないとしても、そこに書かれた言葉を読む人の顔を具体的に想像しながら書かれるのだ。そうであるのなら、共有可能な枠組みを、リズムとは異なるところに設定することができる。例えば寺山が九條に送った手紙の末尾に添えられた「さむくなったけど体に気をつけること／紙上でキスを送ります」では、隔てられた場所に愛する人がいるのだとしても、手紙を読む人物の具体性に基づいて、二人が共有可能な枠組みとして、季節性の寒さが設定された。

実際の寺山は暖かい部屋にいるのかもしれない。しかしそれは問題ではない。そうではなく、そうして何かを共有しようとして、書き手から読み手への一方的な押し付けではなく、読み手の自発的な思考によって、紙上の経験主体が混ざり合いながら文が立ち上がることが重要なのだ。

季節や天気の話というのは、つまらない話題だと思われがちである。しかしそれが「紙上でキスを送ります」のための導入になるのなら、大きな緊張感を伴って二人の時間を創出する契機となるだろう。彼のラブレターからは、短歌とは異なる社会性の獲得を見出すことができる。そこで試みられているのが、読み手の自発性を刺激することであるのは同じなのだ。

無私として制作された主語は、書き手と読み手の安定した区分けを不可能にする。そしてこの不可能性こそが、新たな世界を形作るのだし、それこそが恋愛における無際限の熱量の言語的な凝縮でもあるだろう。

〈私〉の哲学

無私のなかで制作される主語。それについて、あらためて近代以降の日本語を出発点として考えてみよう。過去にも繰り返し論じられてきた主題ではあるが、取り上げるのは川端康成の小説『雪国』である。その一文目は以下のようなものだ。

国境の長いトンネルを抜けると雪国であった。[33]

この一文が日本語の問題として繰り返し取り上げられたのは、その英訳の難しさが故である。つまりこの文の主語は何か？　それは「私」なのだろうか？　例えばエドワード・サイデンステッカーは以下のように訳した。

The train came out of the long tunnel into the snow country.[34]
（列車は雪国に向け、長いトンネルを抜け出した）

ここでは主語として「The train（電車）」が選ばれた。しかし川端の『雪国』は、あくまで場面に潜在するかぎりでの主語を生かしている。この短い一文は、たんなる三人称視点で描かれているというより「実況中継的な視点」によって書かれているのだ。ここでは主語の不在こそが、複数の視点へと読者を誘う。そして隠されているだけでなく、その不在の主語は、ある種の黒子のように読み手と書き手をつないでいく。[35]読者を作品世界へと誘っていく。

哲学者の永井均は、西田幾多郎の哲学の読解のために、『雪国』の冒頭を引用している。それはここまで論じてきた一人称の操作を通じて書かれる短歌やラブレターの議論を哲学的に理解する足がかりとなるだろう。

もし強いて「私」という語を使うなら、国境の長いトンネルを抜けると雪国であったという、そのことそれ自体が「私」なのである。だから、その経験をする主体は、存在しない。西田幾多郎の用語を使うなら、これは主体と客体が分かれる以前の「純粋経験」の描写である。しかし、川端康成が特別の文才に恵まれた文豪だったから、英語に訳せないほどの名文（？）を書けたと思うなら、それは違うだろう。[36]

永井は、西田幾多郎の主要な概念である「純粋経験」を説明するために『雪国』の翻訳不可能性に触れている。それは川端の技巧以前に、日本語に内在する、主体と客体の未分離状態での「私」の成立に基づく説明だ。少し長くなるが、日本語における「経験する主体／経験される客体」の分離の難しさについて引用してみよう。

一般的にいえば、英語なら、I see ～とか I hear ～とか言うであろうとき、「～が見える」「～が聞こえる」と言うのは、日本語ではごくふつうの言い方である。雷鳴が聞こえたら、日本語ではふつう「雷鳴が聞こえる」と言って「私は雷鳴を聞く」などとは言わない［中略］西田の考え方では、あえて「私」ということを言うなら、そのときそのように聞こえている雷鳴、そのように見えている稲妻が、そのまま、私なのであり、そうした純粋経験そのものを離れて、それを経験する（それらとは独立の）私など、存在しない。このような西田の捉え方は、ふだん日本語を使いなれている者にとっては、比較的すんなり受け入れられる考え方ではないだろうか。[37]

つまり「雷鳴が聞こえる」ということが、私と雷を媒介してひとつの世界を作るのであって、私を起点にひとつの世界が形成されるのではない。これは「彼女の動作で一遍の詩を書きたい」と述べた寺山を通じて探られるラブレターの書き方とも関係する指摘だ。

もう少しだけ西田についての永井の読み解きに踏みとどまろう。永井によると「雷鳴が響き渡っている」ということを「取り立てて言うなら私に於いて」とするような場所の自覚こそが、世界像の制作であり、もしも取り立てて言わなければ「私など存在しない（無である）」。[38]つまり「私は存在しないことによって存在する」。そして「存在しないことによって存在する私」を西田は「汝」と名づけ、永井は~~私~~としての〈私〉と呼ぶ。[39]

永井による要約に従えば「私が汝と出会うということは、私が私自身の底において私自身を絶対的に否定する（私を殺す）ものに突き当たることであり、まさにそのことによって、私は生まれる」のだ。

決して哲学の専門家ではない僕が、それでも誤解を恐れずにまとめるなら……近代化（言文一致運動）以降の日本語の基本構造の読み解きを通じて理解される「私によって殺された私＝汝」は、ここまでの議論と関係づけると「人称」のモデルになるだろう。そしてそれはラブレターにおいては不自然に操作された「私（たち）のロマンス」を捉え直すための枠組みにもなる。

そうであるのなら、寺山修司が述べた「彼女自身の動作でもって一遍の詩をかきたい」、あるいは「海を書くのではなく／海で書きたい」における「彼女」や「海」とは、日本語において行き来し、切り返す「外側からの私（三人称）」と「内側からの私（一人称）」の界面、つまり純粋経験の実現の場所を意味するだろう。寺山の詩的実験との関係において、西田幾多郎における汝とは「外側と内側の私の切り返しの場所」を意味すると言えるかもしれない。

そうして主体／客体、あるいは経験する／経験されるに分離することのできない「場所」を制作することで、「私とあなた」を未分離の状態におきながら、世界を作り直すこと。それこそがラブレターにおいてつむがれる言葉が制作する世界である。ラブレターを通じた二人の遠隔的な共同作業は、私が消滅するまで相手に寄り添うことによって、恋人たちの世界を創出するのだ。

だが、ここまでの議論では、そうしたラブレターの可能性が日本語においてのみ論じられている。だからこそ日本語以外では不可能な営みであるのかを考えなければならない。この点については次の節で論じよう。

最後に寺山の詩の一部を引用したい。それは九條今日子の出生時の名前である「映子」に捧げられたものだ。

青い種子が
太陽のなかにある
と言ったのは　たぶん
むかしの恋人たちだ
いまは　おまえの
その燃ゆる目が
私の明日をはぐくむ種子
なのだから

私はそれを
私自身の土地に蒔くだろう

私自身のひろげた両腕のなかに

映子とは書かない。

A子と書く。そのほうが書きやすいし面倒くさくなくっていい。

Aはアルファベットの最初の文字。

そして私にとっては一日のはじまりのしるしだ。

Aはまた、一つの、という意味でもあり、「不確かな……」という不定冠詞でもある。[40]

2-3　詩的な病い／病的な詩

詩的な病い

フランスの哲学者で精神分析家のジャック・ラカンの著作は、今日にいたるまで多様な領域で引用され、論じられてきた。そんな彼が、最初期に書いたテクストをまとめた翻訳論集が『二人であることの病い――パラノイアと言語』である。この本には、医学的な症例報告である「症例エメ」「《吹き込まれた》手記」「パライノイア性犯罪の動機」や、彼の考えを記した短い論文などが収められている。

しかし「二人であることの病い」は、いずれの論文の題でもない。むしろ初期ラカンの論文から抽出可能なテーマとしてこの書名は与えられているのだが、それはとても適切なものに僕には感じられる。そしてここには日本語以外の言語においても、寺山修司を起点として明らかになった短歌やラブレターの執筆方法との類似を見出すことができる可能性を読み込むことができる。

1931年に書かれた『《吹き込まれた》手記』はマルセル・Cという34歳の女性教師についての症例報告である。この論文には、彼女が残した手記が多く引用されている。それらは父をはじめとした様々な人物への手紙の形式を取りつつ、いくつかはアレクサンドラン（1行12音のフランス語の伝統的な詩形）のような記述も見られるものだ。しかし内容は一見して支離滅裂である。「あなた方すべてが救われて欲しいと思っているほどにあなた方を憎んでいるから」「このロバを連れたニワトリが試験的な魚であるなら、それはあなたが悪かった」など、明らかに破綻した記述を容易く見出すことができる。[41]

そうした言葉は、執筆の過程においてどこからか「吹き込まれた」のだとマルセルは述べるのだが、ラカンはこれを疑う。まず彼は、手記への注釈というかたちで、4種類の言語機能の統合と障害についての診断を行い、結果として「要素的現象を取り出すのは不可能」だと断じた。むしろ言語機能ではないところでの「本質的なメカニズムが二重の基底にもとづいている」ことに注目する。最終的にラカンは、マルセルの手記における二重の基底を「知的欠損」と「熱情的な強力性（ステニー）」だと診断した。

吹き込まれたと感じられるこの手記は、霊的な意味で、まったく吹き込まれてはいない。思考が不十分で貧困である場合に、自動現象がそれを補うのである。それが外的なものと感じられるのは、思考の欠損を補うからである。それが価値があると判断されるのは、強力性の情動によって喚起されるからである。[42]

彼女の言葉は、論理ではなく、定型詩のような韻律に導かれているのであり、決して「吹き込まれた」ものではない。「手記では、リズミカルな表現だけが与えられており、これを満たすことになるのは、のちに呈示されるいくつかの観念的内容である」。つまりここで患者マルセルは、霊的なものによる吹き込みではなく韻律によって自動的な記述を行ったのだ。それはフリースタイルのラップやサイファーにおいて、ビートにのせて自らの想いを言葉にしようとして、本人の思考に先立って言葉があふれ出すときの、あの自動化の驚きが日常的な思考までをも埋め尽くした状態である。例えば「あの悲しみ／無い中身／ずっと見ていたい／なりたい／Takashi Murakami／あなたみたい／に、あたたかい／アップルパイ／天照大神」（これは今、筆者が一人で即興したものである、意味はない）。

実際ラカンは、マルセル・Cの症例報告の最終部分に以下のような言葉を残した。

歌詞が旋律を動機づけているどころか、旋律のほうが歌詞を支えているのであり、場合によってはそれらの無意味さを正当化している。[43]

病的な詩

では韻律に導かれて言葉が記述されるのは常に「病的」なのだろうか。この点について、伊藤亜紗がフランスの詩人ポール・ヴァレリーについて行った分析が役立つ。伊藤は『ヴァレリーの芸術哲学、あるいは身体の解剖』において、ヴァレリーの作品という「装置」を通じて、彼の詩作と評論を身体とのかかわり合いから読み直した。

まず指摘すべきは、ヴァレリーが、マルセル・Cと同じくアレクサンドランを使用して詩作を行ったことである。12音の制約において詩を書かなければならないからこそ、韻律は「思考から距離を取らせるもの」であり、そうであるからこそアレクサンドランは「高貴さ」を持ち、通常人々が「思考」と呼んでいるものに対して「あらゆる軽蔑をはっきり示す」。厳格な韻律のなかで選択された語彙、組み立てられる文、そして到達される意味や観念は、通常の思考から隔てられたものなのだ。しかるに「韻文で書くことは、韻や響きといった条件のため通常の語順を倒置したり、意味的にはつながらない語どうしを音によって重ねたり、通常の言語に対して「小さなクー・デター」を起こすものである」[44]。

では、マルセルにおいて「病的」とされた通常の言語や思考からの逸脱が、ヴァレリーにおいては「詩＝芸術作品」となるのはなぜなのだろうか？　それは結果から述べて、読者への関心の差である。つまり書き手のなかで完結するのではなく、読み手との相互作用を前提として書くことが、韻律による表現が病的であるか、詩的であるのかを分ける。だがヴァレリーにとっての「読者」は少し奇妙な存在だ。それは「名前を持ち特定の文化的背景を背負った生身の人間」ではなく、「科学がその対象とするような普遍的で抽象化された人間」なのだ。

さらに伊藤は「ヴァレリーにとって詩＝作品は、読者を「行為」させ、身体的諸機能を開拓するという「大きな目的」を持った「装置」であった」という。

つまり韻律における言葉の操作は、たんに「言葉をあやつる作業」ではなく、身体における解剖学的で生理学的な諸機能の探究なのだ。だからこそヴァレリーにとっての詩とは「詩として表現された生理学的生」だった。彼の詩は、私＝書き手のためではなく、私以外の、抽象化された人間＝読者のための装置なのである。これを探究するなかで前提され、開拓される読者の有無こそがマルセルとヴァレリーを分ける[45]。

寺山は短歌について「リズムによって社会性を保ちうる」と宣言したが、アレクサンドランのリズムを用いた場合の社会性の有無によってこそ、病的／詩的の峻別がなされる。そして社会性は二人以上の相互的な共同体において実現されるのだ。その社会性は、ヴァレリーにおいては解剖学的な装置としての詩に見出された。

しかし実例がなければ分かりづらい。既訳のあるヴァレリーの詩『若きパルク』の冒頭を、伊藤自身が議論のために自ら訳し直しているので引用してみよう。

この手、わたしの顔に触れようと夢みながら、
ぼんやりと、何か深い目的にでも従っているのか、
この手は待っている、わたしの弱さから涙がひとしずく溶けて流れるのを。
そしてまた、わたしの運命からゆっくりと分かれ出てきた、
もっとも純粋なものが破れた心を黙々と照らしだしてくれるのを。

Cette main, sur *mes traits* qu· elle rêve effleurer,
Distraitement docile à quelque fin profonde,
Attend de *ma faiblesse* une larme qui fonde,
Et que de *mes destins* lentement divisé,

Le plus pur en silence éclaire un cœur brisé.[46]

1行目は日常的な散文であれば「わたしは手で顔に触れる」と記述できるものだ。しかし手や顔は、詩的なリズムのなかで、ただの物質かのように取り扱われている。[47]伊藤は「〈わたしの手〉が〈この手〉と記述されるとき、身体はもはやひとつのかたまりではなくなって、ばらばらに分裂していくような感覚へと誘われるだろう」と述べる。[48]言い換えれば、『若きパルク』では〈この〉や〈わたしの〉といった代名詞による参照機能が複雑に用いられているのだ。そうした詩的な効果は「わたしの運命からゆっくりと分かれ出てきた」といった表現によって強調されている。

代名詞の参照機能は、動詞を通じて活性化する。ヴァレリーによれば「文は動詞が作るもの」であり、主語は動詞が要請する「純粋な穴埋め」に過ぎないという。[49]逆に言えば、動詞は欠陥を抱えているのだ。「動詞すなわち動作を表す語は、それじたい動作の主体＝身体を持たないため、身体を要求する」。[50]動詞を中心に文が組み立てられることで、動詞が、1行12音の制約のなかで〈この手〉という身体を要請するのだ。つまりヴァレリーの詩作は「わたしは手で顔に触れる」という自然な散文を韻律に従って再構成した結果ではなく、韻律のなかに置かれた動詞の要請に従った身体の解剖学的な出現によってなされる。

その上で、代名詞は参照の機能を持つ。それらは、それぞれの文脈に置かれる度に異なる対象を参照する。例えば〈わたしの〉は、二重の未決定性をもつ言葉である。それは第一に「わたしの手」「わたしの顔」といった具合に、異なる身体部位を参照することができる点で、それ自体で参照の部位を限定するものではない。セットで使われる言葉によって参照対象が変更されるのが代名詞なのだ。第二に、そもそも〈わたしの〉に一義的に対応する「私」は存在しない。〈わたしの〉は布施琳太郎を対象とする場合もあれば、ヴァレリーを対象とすることもある。つまり「〈わたしは〉」は、それを口にすることによって誰でもそこに自らを代入することができるような語であり、言い換えれば、〈わたしは〉がもつのは意味というより、そのつど「話す人」を参照する機能ということになるだろう[51]」。

こうして伊藤はヴァレリーのアレクサンドランのなかに「動詞中心主義」と「話し手参照機能」の相互作用を見出す[52]。

そしてこの相互作用を通じて、読者は自らの身体を詩のなかへと「置き入れる」。それは例えば『若きパルク』における〈この手〉〈わたしの顔〉などのことだ。ヴァレリーの詩において、状況の把握は視覚以上に触覚にたよって「手探り」になされる。そこでは代名詞の選択において組み立てられた複数の近さが、読者に自身の身体を意識させる効果を持つのだ。「この手、わたしの顔」と段階的に手探られながら、動詞において統一された空間。そこでバラバラになる身体こそが韻律の内部で認識される詩的世界なのである[53]。

以上のような相互作用を通じて、ヴァレリーの作品は、書き手のなかで閉じることなく（抽象化された身体であれ、具体的な）読者を前提とすることで、病的であるというより詩的であることに成功するのだ。

ここまで、韻律に導かれた言葉が詩的であるために、読者の設定の有無が重要であることを確認した。その上で、異なる観点でも、病的であることと詩的であることの差異についてヴァレリーが自ら語っている。

彼は、脳腫瘍をわずらった患者が飛蚊症に苛まれながら、それが主観的なものであって客観的には存在しないことを当人がわかっているような状況を考える[54]。そして、何らかの病的症状の客観的な把握を、詩的な創作と連続させようとする。つまり自らの視界のなかを飛び交うように思える虫たちが、あくまで病を原因とすることを理解している場合、そうして二重に見られた空間は病的であるというよりも詩的であるということだ。しかし「その産物の主観性を自覚できなくなったとしたら、器官的なものに起因する病が、彼の精神を蝕みはじめたと周囲は判断するだろう[55]」。

飛蚊症や耳鳴りなどの主観的な認識は、それを目や耳といった各々の感覚器官の出来事として理解する限り病的なものとはならない。だが感覚を解釈し、感覚を他のものと結びつけ、原因と結果の関係を捏造するとき、それは「病的」であるとされるというのがヴァレリーの考えだ。そしてそうした考えにもとづいてマルセルとヴァレリーの差異を見出すこともできるだろうが、もちろん、これは「正常」や「健康」についての近代的な神話とは異なる。重要なことは、世界を認識する私を特権的に中心化するのではなく、複数の異なる世界認識が重なり合うことの社会性を理解することである。なにかただひとつの「正解の認識」があるのではない。動植物や虫、人間、機械といった複数の種の認識がすれ違いながら重なり合うなかで、また別の世界認識を制作するとき、この世界に新たな拡張現実を導入するとき、それこそが詩的であることのクーデターなのだ。

そのサンプルは、恋人たちが交わすラブレターのなかで「語られる／騙られる」ことで発見される世界の美しさに見出すことができるだろう。

ここまで韻律にもとづいた記述が通常の思考から距離を取らせることの病的かつ詩的な可能性を見てきた。韻律はマルセル・Cへと言葉を吹き込むように知的欠損を補いながら、熱情的な強力性(ステニー)を育んだ。一方ヴァレリーにおいては「動詞中心主義」と「話し手参照機能」において、身体を解体しながら開拓し、小さなクーデターとしての詩的実践を実現する。

これらの議論は、前節で確認した、日本語における私の消滅による〈私〉の誕生を、さらなる深度で捉えることを可能にすると同時に、それが日本語あるいは日本の詩歌においてのみ見出せるものではなく、より普遍的な言語の機能であることを示すだろう。

重要なことは、動詞や動作を中心に文が組織されるとき、書き手とイコールであるような「私」や「われ」が世界の中心から退いていくことである。世界とは私が組織するものではないのだ。強いて言うなら「私の不在」において制作されるのであり、そこで解体された私、あるいは別の人物によって侵入された〈私〉こそが詩やラブレターを書くことを可能にする。それこそが自動手記人形とは異なる代筆的想像力の詩的実践可能性である。

だが、それは病的であることと紙一重だ。このことを忘れてはならない。

注釈

1 寺山修司「愛する」『寺山修司少女詩集（改訂版）』角川文庫、2005年、206頁。

2 生年については諸説ある。「1935年12月10日」と「1936年1月10日」だ。しかし現状の日本では年度で世代を捉える慣習が一般的なため便宜的に「1935年生まれ」と記した。

3 九條今日子『回想・寺山修司――百年たったら帰っておいで』角川文庫、2013年。

4 寺山修司、九條今日子『寺山修司のラブレター』KADOKAWA、2015年、78‐79頁。

5 「寺山修司没後40年　特別企画展 2023 vol.1『手紙魔 寺山修司―魂のキャッチボール―』」三沢市寺山修司記念館、2023年。

6 同書、8‐9頁。

7 黒瀬陽平『情報社会の情念――クリエイティブの条件を問う』NHKブックス、2013年、113‐114頁。

8 九條今日子『回想・寺山修司：百年たったら帰っておいで』角川文庫、2013年。

9 寺山修司、九條今日子『寺山修司のラブレター』、44頁。

10 同書、31頁。

11 同書、32頁。

12 同書、48頁。

13 寺山修司「海」『寺山修司少女詩集（改訂版）』角川文庫、2005年、17頁。

14 寺山修司「映子を見つめる」『寺山修司全歌集』講談社学術文庫、2011年、224‐228頁。

15 国際日本文化研究センター日本大衆文化研究プロジェクト編著『日本大衆文化史』KADOKAWA、2020年、160頁。

16 岡井隆『現代短歌入門』講談社学術文庫、1997年。

17 谷岡亜紀「〈私〉とは誰か――一人称を中心に」『短歌』角川文化振興財団、2022年6月号、60‐63頁。

18 柄谷行人『定本　日本近代文学の起源』岩波現代文庫、2008年、23頁。

19 坂部恵『かたり――物語の文法』ちくま学芸文庫、2008年、44‐45頁。

20 同書、63頁。また時制については、日本語に限らない議論の上で書かれた図が103頁にある。

21 同書、13頁。

22 こうした事情については次のような本が詳しい。新井豊美『女性詩史再考――「女性詩」から「女性性の詩」へ』思潮社、2007年。鳥居万由実『「人間ではないもの」とは誰か――戦争とモダニズムの詩学』青土社、2022年。

23 斉藤斎藤「神について黙るときにわれわれの語ること」『短歌』角川文化振興財団、2022年6月号、68‐69頁。

24 寺山修司「海」『寺山修司少女詩集（改訂版）』角川文庫、2005年、14‐15頁。ここでは背景となるシチュエーションのようなものも描き出されている。

25 岸上大作「寺山修司論」『寺山修司の〈歌〉と〈うた〉』春陽堂書店、2021年、125頁。

26 同書、126頁。

27 九條今日子『回想・寺山修司――百年たったら帰っておいで』角川文庫、2013年、43頁。

28 寺山修司「空には本」『寺山修司青春歌集』角川文庫、2005年、34頁。

29 岸上大作「寺山修司論」127頁。

30 寺山修司「言葉が眠る時に目覚める世界とは何か――石井輝男の残酷映画」『ぼくが戦争に行くとき――反時代的な即興論文』中公新書、2020年、123頁。

31 寺山修司「選挙は電子計算機で――せめて競馬なみの〝近代化〟を」『エコノミスト』1967年1月20日号、毎日新聞出版、23頁。

32 寺山修司『幸福論』角川文庫、263頁。

33 川端康成『雪国』新潮文庫、2006年、5頁。

34 Yasunari Kawabata, "Snow Country" Edward Seidensticker, Tuttle Publishing, 2008. 日本語は安藤宏『「私」をつくる――近代小説の試み』岩波新書、2015年14頁より

35 安藤宏『「私」をつくる――近代小説の試み』岩波新書、2015年、14‐15頁。

36 永井均『西田幾多郎――言語、貨幣、時計の成立の謎へ』角川文庫、2018年、17‐18頁。

37 同書、18‐19頁。

38 同書、76頁。

39 同書、122‐123頁。

40 寺山修司、九條今日子『寺山修司のラブレター』KADOKAWA、2015年、48頁

41 ジャック・ラカン「《吹き込まれた》手記」『二人であることの病い――パラノイアと言語』宮本忠雄、関忠盛訳、講談社学術文庫、2011年、67‐68頁。

42 同書、90-91頁。
43 同書、89頁。
44 伊藤亜紗『ヴァレリーの芸術哲学、あるいは身体の解剖』水声社、2013年、90頁。
45 同書、71-73頁。
46 同書、97-98頁。
47 同書、98頁。
48 同書、113頁。
49 同書、100頁。
50 同書、101頁。
51 同書、101-102頁。
52 同書、103頁。
53 同書、112-113頁。
54 同書、211頁。
55 同書、212-213頁。

第三章　「あなた」の場所

3-1　光年性のラブレター

ボイジャーのゴールデンレコード

１９７７年9月5日、ひとつの人工物が宇宙へと旅立った。ＮＡＳＡによって作られた無人宇宙探査機ボイジャー1号である。そこには人類から地球外知的生命体へのラブレターが載せられていた。ボイジャーのゴールデンレコードである。

「ラブレターの書き方」という言葉を思いついた瞬間、僕の脳裏をよぎったのは太陽圏外を浮遊するゴールデンレコードのイメージだった。音のない暗闇をすべるように移動しながら光年の彼方で輝く星々のきらめきを反射する金属板。そのイメージには、ラブレターの基本的な気遣いが結晶化しているように直感されたのである。つまり「私から語りかけるしかないけれど、言いたいことを一方的に押し付けるのではなく、相手から私を見つけてもらい、強い関心を抱いてほしい」。そうした沈黙の究極形態が、このゴールデンレコードなのだ。

第一章では「代筆」を通じてラブレターの可能性を探り、第二章では「言葉」の問題としてラブレターの書き方を探った。

しかしまず代筆は、その具体性に反して、私たちが個々に実践することが難しいのも事実だ。その困難は、私たちの生活する社会に恋文横丁はなく、自動手記人形もいないという当たり前の状況に由来する。また愛する人に想いを伝える際に、言葉に頼らなくてはいけないわけではない。そこで本章では、第一章における代筆的な想像力を引き継ぎつつ、代筆者を介さずに自分で自分の想いを代筆するようなラブレターの制作を、日本語や英語などの自然言語に限定せずに探っていきたい。

そこでまず題材とするのは、地球外知的生命体との出会いを求めて宇宙空間を浮遊する金属板である。

現在も運行を続けるボイジャー1号探査機は、地球から最も離れた場所にある人工物である。そこに取り付けられたゴールデンレコードには、115枚の画像と鳥や鯨などの動物の鳴き声から波や風、雷などの多くの自然音、様々な文化や時代の音楽、55種類の言語での挨拶、ジミー・カーター第39代大統領と当時の国際連合事務総長クルト・ヴァルトハイムからのメッセージなどが刻まれている。ガラス瓶のなかに手紙を入れて海に流すボトルメールのように、ゴールデンレコードは現在も宇宙空間を漂い続けているのである。

このプロジェクトは、カール・セーガンが中心となって、メッセージの内容や形式が決定された。彼は、テレビシリーズにもなった宇宙ドキュメンタリー『コスモス』（１９８０年）の監修、宇宙の１３８億年の歴史を1年に圧縮して示す「宇宙カレンダー」の普及などで知られる天文学者で作家だ。かなりの急ピッチで進められたというゴールデンレコードの制作について、ＮＡＳＡの特設サイトには以下のように記されている。

メッセージの準備にあたってなされたすべての決定は、地球に住む私たちと、遠い星の惑星に存在する人々という2種類のオーディエンスが対象だという仮定に基づいていた。[1]

つまりゴールデンレコードに刻まれたメッセージは、宇宙人だけではなく、私たち人類にも向けられていたのだ。そのため、挨拶は55種類の言語で準備された。ただメッセージの内容を地球外知的生命体が解読できるようにするためだけならば、少ない種類の言語で記述して、それを解読するためのキーなどを載せた方が良いのは明白だ。しかし地球人類を代表する言語を選択することは難しい。そこで地球外知的生命体に対しても、人類に対しても、地球において多様な言語が用いられていることを示す方針が取られた。

この選択は政治的な正しさを目指すものである。こうしてボイジャーのゴールデンレコードにおける人類のイメージは、なんらかの言語に統一できないような多様性によって形作られたのだった。

しかしだからといって、地球外知的生命体がメッセージを読み取ることができなくても良いというわけではない。

ゴールデンレコードの表面には、このレコードを再生する方法が図示された。金色にメッキされた表面には、細いカービングで、様々な図形や線分が刻まれている。

まず、その左上には、再生にあたって針をセットすべき開始位置が示された。このゴールデンレコードには、音楽レコードのように螺旋状の溝によって情報が記述されている。そのため正しい速度で回転させなければならない。1回転ごとの時間は約3・6秒だ。回転速度は水素原子の基本遷移に基づいた時間単位の「0・70億分の1」と定義された。地球外の文化においても基準となると考えられた科学的な単位である。また外側から内側に向かって再生しなくてはならないことも示されている。この図の下には、レコードと針の側面図があり、再生するのに約1時間がかかることが丁寧にも示されている。

このレコードには音声だけでなく、画像も刻まれている。その画像は、ブラウン管テレビやスキャナーのような走査線として信号化されている。走査線とは、画像を構成するピクセルを1列ずつ順番に読み込んで表示する技術のことだ。このレコードにおいても、画像は、走査線として再生される。

右上の図には録音信号から画像を作成する方法が記されている。そこには回転時に発生する典型的な信号が示されているため、この信号を正しく配列することで画像を作成することができることが分かる。具体的には、約8ミリ秒ごとにひとつの走査線が再生されるという。その直下には、受信者が信号を正しく画像化できたか確認するに載せられた最初の画像のレプリカが示されている。それはシンプルな円であり、画像作成を行う受信者が、画像の縦横の正しい比を確認することができる。画像もまた、音声と同じように地球の様々な地域や文化について表現したものが選ばれた。

こうしてボイジャーのゴールデンレコードは、宇宙空間を漂うボトルメールかつタイムカプセルとして人類のイメージを運び続けているのだ。

しかし地球外知的生命体とのコンタクトを試みるプロジェクトはボイジャー以前にもあった。まず1959年には科学雑誌『ネイチャー』にジュゼッペ・コッコーニとフィリップ・モリソンが地球外生命体の存在を指摘する初めての論文『星間通信の探索』を発表した。

太陽に似た星のどれかの近くに、科学的な興味を持ち、また我々よりも技術的に優れた文明があるはずである。そのような社会の構成員にとって、わが太陽は新しい社会を進化させ得る場所に見えるだろう。太陽系において科学が発展することを彼らがずっと待ち続けていることも大いに考えられる。いずれ我々が築くことになる通信チャンネルを、彼らがはるか以前から敷設しておいて、我々が新しい社会を作ったことを知らせる信号を出すことを辛抱強く待っていると仮定しよう。とすると、彼らの用意したチャンネルはどんなものか？[2]

この論文を皮切りに様々な方法での地球外知的生命体の調査がはじまる。1960年には天文学者のフランク・ドレイクによって、他の恒星から地球への電波送信がないかを調査する「オズマ計画」が実施された。しかし有効な電波は見つからない。また1981年、1000基の電波望遠鏡を連携させることで地球外からの電波信号探査を行う「サイクロプス計画」がNASAによって計画されたが、資金の目処が立たず頓挫している。

『星間通信の探索』を端緒とするこれらの試みはメッセージを「受信」しようとするものだ。しかし実際に探査機が宇宙へと旅立つことになって、今度は人類がメッセージを「送信」する側になる。

そして1972年、人類からのメッセージを絵で記した金属製の銘板が取り付けられた状態で、宇宙探査機「パイオニア10号」が宇宙空間へと飛び立った。翌73年には「パイオニア11号」も同様に送り出されている。

ボイジャーのゴールデンレコードとは異なり、こちらはただの絵である。この金属板の制作者たちは、限られたスペースに可能な限り多くの情報を記そうとした。しかしそれらのメッセージを見せられた研究者たちのなかで、そのすべてを解読できた者はほとんど誰もいなかったという。さらにそれらのイメージは人間中心主義的である。人類にすら解読が難しいこれらのイメージを、まったく異なる認識や知の枠組みを持つ地球外知的生命体が読解することはより困難だろう。

また「パイオニア計画」において、裸の男女の画像を記した金属板を探査機に積み込んだNASAに対しては、税金を用いて猥褻画像を宇宙に送ったとして市民から批判もされたという。

こうした反省を踏まえたボイジャーのゴールデンレコードにおける男女のイメージは、黒く塗りつぶされたシルエットによって描かれるのにとどまったが、結果的により多様な視点で「人類」が描き出されることになる。そこには画像として、簡明な解剖図、出産や飲食の様子の写真、さらにDNAの構造図などが、都市や自然の風景画像とともに集められることで、より総合的に人類と地球、太陽系について表現するものになったのだ。これはパイオニアの金属板からの大きな変化である。

ボイジャーのゴールデンレコードにおいて、人類は、定義不可能な身体と知覚を有する地球外知的生命体とのコミュニケーションを行う方法を考えた。その思考は翻って人類の定義を更新することも要請する。

先ほど示したように、レコードの再生方法を伝達するためにも、日常的には馴染みのない様々な仕方での記述が行われている。そこでは人類の文化を伝えるために、非日常的な方法での記述が試みられたのだ。つまり特定の文化に依存しない普遍的な記述だと制作者たちが考えた、原子の運動を単位とする科学的な記述である。

ここで想像されたコミュニケーションの相手とは、想定も定義も不可能な「まったくの他者」である。その他者性は、徹底的な不在によって特徴付けられている。目の前にいない、しかし確かに宇宙のどこかにいるかもしれないコミュニケーション可能な他者……それこそが地球外知的生命体である。彼ら、彼女らに私たちの文化を伝えるためには、逆説的に、私たちの文化に依存しない客観的で科学的な記述法が要請される。

また地球外知的生命体へとメッセージを送信することは、それ自体が、人類のセルフイメージの定義にとっても重要であることにＮＡＳＡは気がついていた。もしも受け取られて再生されたのならその瞬間に人類を代表することになってしまうのがボイジャーのゴールデンレコードであるのだが、実はそれが受信されて再生されるか否かにかかわらず、そのレコードが送り出された瞬間に、記述された情報が私たち人類の定義となる。そのことにNASAは自覚的だった。

だからこそ、できるだけ地球人類について進歩的に、政治的な正しさに基づいて捉える必要があった。結果として、意味を持ったメッセージを地球外知的生命体に伝達することより、人類の多様性を示すことを選ぶことになった。地球外知的生命体がこのレコードを受け取ったとき、人類というのは、まるで一貫性のない多様な言語を話すにもかかわらず、1枚のレコードを共同制作する奇妙な種族に映るだろう。

そうした政治的判断が、このレコードの本来の目的に即したものであるのかについて、疑問を抱かなくもない。だがそれでも、目の前にいるわけでもない受信者を想像しながら、姿形も思考方法も分からない他者との二者関係を仮定しながら、その「何ものか」と可能なコミュニケーションを人類が真摯に考えたのは事実である。

そしてコミュニケーションの意志が真摯であればあるほど、そのメッセージは送り手である人類の定義となるのだ。もしもそこに受信の可能性がなく、受信者の実在も信じておらず、人類を代表する可能性もないのなら……人種や文化の多様性への配慮など不要である。どこにも届かず、受け取られないのならゴミ箱に捨てるのと一緒なのだ。しかし「ボイジャー計画」は、そうではない。探査機がどこまでも旅立ってメッセージが受信されると信じることこそが、翻って、送り手である人類すべてへの配慮を要請する。このレコードの制作は地球外知的生命体を対象とした公共事業、つまり文化的な外交なのだ。こうして地球外知的生命体が受信する可能性があるという点で、送り手である地球人類への配慮が必要になるという転倒こそが、ボイジャー探査機が「宇宙の彼方まで旅を続ける」という想像力の根拠になるのだ。

こうした理解に基づいてラブレターについて考えてみると、ラブレターを執筆するとき、そこに届けたい相手がいないことの重要性に気がつく。目の前に座っている相手にラブレターを書くだろうか？　できたら別の場所で書きたいはずだ。つまり対象の不在のなかで、その相手のあり方や思想を徹底的に考えて、言葉を選ぶことがラブレターの基本なのだ。しかしその不在は一時的なものであり、ラブレターは、その不在の向こうに実在するラブレターの受け手を前提とする。そこで書き手は、受け手の不在のなかに実在を想像するのだ。不在の受け手は、ゴールデンレコードの制作においては、光年の彼方にいる地球外知的生命体だった。

そうした不在のなかで、実在すると信じられた他者を通じて、自身のあり方を再定義するのがラブレターなのだ。相手のために書くこと自体が、自分自身の捉え直しであるような両義性において、ボイジャーのゴールデンレコードは真摯である。そこには人類と地球外知的生命体へと同時に向けられた愛があるのだ。ラブレターにおける愛のメッセージは、不在によって特徴付けられている。

ボイジャーのゴールデンレコードにおいて、人類は、不在の他者への自己紹介を夢見た。しかしその成否以上に重要なことは、その制作と送信こそが送り手＝地球人類の言語とセルフイメージの再組織の好機となったことである。地球外知的生命体の受信可能性を介した人類の再制作は、これまでの「人類」を、これまでとは違った状態にまで否応なしに変質させるだろう。つまり以前の人類に代わって／人類が作ったのがボイジャーのゴールデンレコードなのである。実際、冒頭で確認したようにＮＡＳＡは、メッセージの対象として地球外知的生命体と地球人類を二重に想定していたのだと記している。

そこにある私から〈私〉への、あるいは人類から人類への同語反復的な変身は、ラブレターの書き手のあり方をも示している。不在の相手について考え続けることで、否応なしにそれまでの私が消失するのだが、相手への強い想いによって、書くことを通じて、私が私でなくなることで「新しい私」が生じる。ラブレターを書くとき、人は、自分自身のなかに相手の思考や認識をシミュレーションして、相手にとって喜ばしい言葉を探すこととなる。そして自問自答する。「こういう言葉はどうだろう」。思わず口に出してみるかもしれない。「あなたにとっては些細なことかもしれないけれど、あの波の音が忘れられないんです」。そこには以前の私はいない。現在を通じて過去が制作され、時間が分裂する。そうして作り替えられ、消滅し、生成されながら「私に代わって／私が書く」のでなければ、ラブレターはただの手紙である。

こうして私が私の代筆者になることこそが、ラブレターの執筆という、受け手の不在に特徴付けられたメッセージの特異性だと言えるのではないだろうか。

宇宙的超遠距離恋愛

地球の内外で交わされるラブレターについて、人間同士の関係を通じて描いた物語がある。『ほしのこえ』だ。これは地球と宇宙に引き離された二人の若者の超遠距離恋愛を描いたアニメーション映画である。新海誠の実質的なデビュー作である本作は２００２年の公開以降、批評の対象として盛んに論じられ、セカイ系と呼ばれる作品群やクリストファー・ノーランの『インターステラー』をはじめとした国内外の物語表現たちに多大な影響を与えた。[3] また、監督から脚本、演出、作画、美術、編集、さらにオリジナル版では主人公役の声優までという、アニメーションの制作過程のほとんどすべてをひとりで行ったという伝説的逸話で知られている。

『ほしのこえ』における宇宙規模の超遠距離恋愛は、衛星通信を介したメールのやりとりによってなされる。しかし、その距離ゆえに、大切な人とのメールのやりとりが、互いの意思とは無関係に遅延してしまう。結果として、作中では、宇宙規模の空間のひろがり、国連宇宙軍をはじめとした政治的決定、地球外知的生命体との戦闘が、中高生のメールによるコミュニケーションにおける二者関係の緊張をパラフレーズして語るメタファーへと還元されていく。それはとても切ないものだが、恋愛関係の不確実さを的確に表現している。

さて25分という、とても短いが濃密な『ほしのこえ』の物語を追いかけてみよう。

2039年、火星のタルシス台地で異星文明の遺跡を発見したNASAの調査隊が、突然現れた地球外知的生命体タルシアンの攻撃によって全滅する。

時はめぐって2046年、中学校の同級生である長峰ミカコと寺尾ノボルは同じ高校への進学を望んでいた。しかしミカコが国際連合宇宙軍の調査隊のひとつであるリシテア艦隊に選ばれたことで、二人は地球と宇宙に離れて過ごすことになってしまう。ミカコが操縦することになるのは人型のロボット兵器だった……ここまでが前提となる物語の設定である。

翌年、ミカコを乗せた艦隊は宇宙に旅立っていく。二人は携帯電話のメール機能を使ってコミュニケーションを行うが、ミカコが太陽系から遠く離れていくにつれ、メールの送受信にかかる時間も数日から数年へと徐々に間延びしていくのだった。それは電波が光の速度を超えて届くことができないからこそ生じる遅延だ。

ミカコを含む宇宙軍が調査を続けるも、成果のないまま半年が経つ。「このまま何も見つからないで、早く地球に帰れるのがいちばんいい」。しかし突如出現したタルシアンとの戦闘が開始。艦隊は敵から逃れるためワープを繰り返し、最終的に8・6光年もの距離を移動することになる。帰路が存在するのかも分からない。「わたしたちは、宇宙と地上にひきさかれる、恋人みたいだね」。

どうにか目的地、惑星アガルタに降り立ったミカコは光年の彼方にいるノボルへとメールを打つ。「24歳になったノボルくん、こんにちは！　私は15歳のミカコだよ。わたしはいまでもノボルくんのこと、すごくすごく好きだよ」。しかしそれと同時に迫り来るタルシアンの群体を前にして、味方の艦隊が次々に撃破される。旗艦リシテアにも大型のタルシアンが迫る。リシテアを守るため、ミカコは大型のタルシアンへと立ち向かうのだった。

そして8年半が経ち大人になったノボルはミカコからのメールを受信する。メールの本文はノイズにまみれていて「すごくすごく好きだよ」という言葉は消えてしまっていた。

最後のメールが送信されるシーンを、より細かく見てみよう。

惑星アガルタ。コックピットのなかのミカコがケータイを握り締めながら「届いて」と呟くと、走馬灯のように地球での記憶が思い起こされた後で、宇宙空間に幼年期のミカコが現れる。向き合う二人のミカコ。現在のミカコが「私？」と呟くと、幼年のミカコが現れて「やっとここまで来たね」と述べるが、次のカットでは、その位置に地球外知的生命体・タルシアンが浮かんでいる。タルシアンの見た目は、アニメ特有の均一な線と色面で表現されたミカコの身体と違って怪物的だ。タルシアンは3DCGでモデリングされ、ヌメっとした質感の流体のように表現された膜に覆われている。その膜を脱ぎ捨てると、左右非対称の、しかし腕と足を持つ人型の地球外知的生命体がおぞましい音とともに現れる。こちらも3DCGでモデリングされた白色の流線的な身体だ。幼年のミカコが喋り続ける。「大人になるには痛みも必要だけど、でもあなたたちなら、ずっとずっと、もっと先まできっと行ける」「他の銀河へも、他の宇宙にだって」。さらにカットが変わると成長したミカコや、女子高生のミカコなどが現れ、複数の姿／声での自問自答が繰り返されていく。「私はノボルくんに会いたいだけなのに、好きって言いたいだけなのに」……タルシアンとの戦闘が開始される。

一方、地球。ノボルは大人になっていた。「あの夏の日、8年という月日が永遠に思えたことを覚えている」。自宅にいる彼の元に、光年の彼方からメールが届く。同時にピアノの音が挿入されながら、宇宙での激しい戦闘が画面に映し出される。ミサイルが飛び交い、敵が死ぬ。赤い血が吹き出す。ノボルは「ミカコからのメールは2行だけで、あとはノイズだけだった」と独り呟く。「24歳になったノボルくん、こんにちは！　私は15歳のミカコだよ。~~わたしはいまでもノボルくんのこと、すごくすごく好きだよ~~」。最後の一文はノイズにまみれて消えていた。

そして宇宙と地球に引き離された二人による、断片的な、しかし楽しくて美しかった日々を回想する言葉が交互に続く。8光年の隔たりを超えて映像のなかで優しい声が交差する。

「私はね、ノボルくん。懐かしいものが沢山あるんだ。ここには何もないんだもん。例えばね……」

「例えば、夏の雲とか、冷たい雨とか、秋の風の匂いとか」

「傘に当たる雨の音とか、春の土のやわらかさとか、夜中のコンビニの安心する感じとか」

「それからね、放課後のひんやりした空気とか」

「黒板消しの匂いとか」

「夜中のトラックの遠い音とか」

「夕立のアスファルトの匂いとか」

「ノボルくん。そういうものをね、私はずっと」

「僕はずっと、ミカコと感じていたいって思っていたよ」

タルシアンとの戦闘が激化する。多数の艦隊が攻撃を交わす。青い光線が宇宙を裂く。大きな爆発。地球と宇宙の風景が次々に映し出される。雪が降る。星がきらめく。腕が取れる。カメラが動いて、空から光が射す。

「ねえ、ノボルくん。私たちは遠く遠く、すごく遠く離れているけれど」

「でも想いが時間や距離を超えることだってあるかもしれない」

「ノボルくんはそういう風に思ったことはないの？」

「もし一瞬でもそういうことがあるなら、僕は何を思うだろう。ミカコは何を思うだろう」

「私たちの思うことは、きっとひとつ。ねえ、ノボルくん。私は」

「「ここにいるよ」」

画面は真っ白になり、二人の声が重なり合って響いて、その中央に縦書きで「ここにいるよ」という言葉が表示される。そうして本作は幕を閉じる。これが『ほしのこえ』のラストシーンだ。恋する相手の不在が、その不在を超えようとして書いた言葉がノイズにまみれて届かないことの切なさが、ひとつの映像表現へと収束する。ここには、メディアの両義性と向き合って言葉をつむぐことが、私たちにどのように作用するのかが示されている。

ところで「メディア」は多義的な言葉である。それはテレビや新聞、雑誌、ニュースサイトなどのマス・メディアの意味で用いられるときもあるが、より個人的な電話や手紙、メールなどもメディアと呼ぶし、映画や絵画、音楽、演劇、文学といった表現の分類を指し示すこともある。

メディア（media）とは、ラテン語の「medium」（＝中間に）から派生した言葉で、私たちの社会のなかで多様な情報や人、モノを横断的に媒介する中間的な領域の呼び名だ。それは、私たちの経験を可能にする、技術的な次元と意味的な次元を同時に媒介する。[4] 例えばワールド・ワイド・ウェブという技術的な次元が、画像や言葉のやり取りによる意味の次元の情報伝達を可能にする、それこそがメディアという媒介だ。

しかしこれでは分かりづらいので、より具体的に考えてみよう。

メディアの発展を、通信速度の向上による遠隔性の克服として捉えることができる。そうであるのならメディアは、始点と終点を接触させるための「空間を非空間化する技術」ということになる。例えば書き言葉をやりとりするメディアが郵便から電子メールへと移行することで、そのメッセージの始点と終点のあいだにあるタイムラグは消えていき、最終的には目の前にいるのと変わらない直接性でやりとりすることが可能になる。そうした時間的な接触性によって空間的な隔たりを克服していくことにメディアの発展を見出すことができる。その時間的接触こそが、『ほしのこえ』でメールというメディアに託されたひとつ目の役割である。[5]

だが『ほしのこえ』で描かれたメールの遅延は、恋し合う二人の距離を露わにもする。二人のあいだにメディアがあることで、8年という時間的な隔たりが露わになるのだ。それは数光年という物理的な距離によって生じる。もしもメールというコミュニケーションの方法がなければ、ノボルにとって「ミカコはいなくなってしまった」だけだが、そこにメディアがあることで二人の距離が保存され、露出するのだ。本作で暴かれるのは、時間的な隔りをメディアによって感受することで生まれる「空間としてのメディア」だ。

メールが遅延するとき、ミカコとノボルは、それまでの時間的同期から放り出される。電話の声が数秒遅れただけでも、現実の空間的距離に直面させられた経験は誰しもあるのではないだろうか？　そうであるのなら、メディアは、高速通信によって始点と終点を擬似的に接触させることで空間的な隔たりを消滅させるのだが、それと同時に空間を創出しもする技術的‐意味的な領域なのだ。つまり距離を失わせる非空間化の技術としてメディアを捉えることもできるが、メディアそれ自体をひとつの空間として捉えることもできてしまう、そんな折り合いのつかなさこそがメディアの特性である。

私たちはメディアを通じてコミュニケーションをしているのだが、それと同時にメディアによって隔てられてもいる。そしてメディアなしでコミュニケーションすることはできない。これがメディアの両義性だ。もしもその特性を文字で無理矢理に図式化するなら「（メデ／送信者↕（メディア）↕受信者／ィア）」とでもなろう。そうしたメディアの両義的な手触りは、恋する相手の不在において最大の強度で到来するのだ。

送信者と受信者は、メディアを介してコミュニケーションするのだが、それと同時にメディアによって隔てられる。そしてメディアの両義性は『ほしのこえ』において恋心の繊細な揺らぎへと紐づけられている。

そうした両義性は物語冒頭とラストシーンの台詞の対比において示されている。冒頭でミカコは「私はどこにいるの？　あ、そっか。私はもう、あの世界にはいないんだ」と独白するのだが、この台詞はラストシーンにおいて重なり合う二人の「ここにいるよ」という声と対比されているものと読み取ることができるだろう。つまり最終的に重なり合う二人の声が露わにするのは光年の距離を超えて人と人を接触させるメディアの夢、イリュージョンであるのだが、冒頭で示されたのは空間的な隔たりとして二人を引き裂くメディアの性質である。この両義性が感受させる二人の隔たりは、二つのメディア理解の界面として『ほしのこえ』が響くことを意味するだろう。

ミカコとノボルの隔たりとは、物理的には、繰り返されるワープで生じた何光年もの距離のことである。「光年」という言葉は、時間を意味する「年」が冠されていながら、時間それ自体を意味するのではなく、時間を基準とした空間的な長さを示す。約9・5兆キロメートル。それが1光年である。光年という言葉の印象と意味のズレは、本作におけるメディアの両義性と対応しているように思える。光年の隔たりは、たんなる距離を意味すると同時に、その距離を移動することが（光速をもってしても）時間的な遷移を無視しては不可能である点で、光速を超えた通信ができないというメディアの限界を露出させるものだ。

つまり本作における最もエキセントリックなSF的要素は、地球外知的生命体や国連宇宙軍などの社会的な語彙ではなく、「ワープ」という光年の距離をキャンセルする技術の一点である。ワープによって、二人はメディアの臨界点としての世界の光年性に直面する。光年性において、メディアの両義性は『ほしのこえ』として露出するのだ。夜空にきらめく星々。それは誰もが確認できる光年性の現れである。あなたが注視する夜空の星は、既に消滅しているかもしれない。だが今も光っている。宇宙の彼方から届いたミカコからのメールは、まさに夜空で揺れる星のような不安定な輝きとして存在する。その言葉はノイズにまみれて届く。新海誠は現前こそが不在の可能性であるような光年性を、ワープによって、恋愛における二人の隔たりへと直結させることに成功したのだ。

独り言の時代

本作におけるメディアの界面、つまり二者関係の時間的接触と空間的隔たりは、アニメの演出としては、恋する二人の会話と独り言の混濁として表現されている。

例えば先ほど詳述したラストシーンにおける二人の声は、映像上は会話に聞こえるにもかかわらず、実際の二人はただ独白をしているだけかもしれず、恐らくそうでしかないのだが、二人が時間を共にしているかのようなイリュージョンが、決して鑑賞者を騙し切ることがない点で（人々は二人が出会い直したとは思わないだろう）、本作はガラケーの時代の恋愛を表現することに成功するのだ。ミカコが光年性の隔たりのなかへと送り出したメールにはこう書かれていた。「わたしたちは、宇宙と地上にひきさかれる、恋人みたいだね」。本作を鑑賞する人々は、この言葉を前提として、しかし映像表現上はこの言葉を超えてしまう映像メディアの驚異に魅惑されるのだ。

『ほしのこえ』には会話と独り言が溶け合って、響いている。

そしてガラケーの時代に特有の発話のあり方こそが「独り言」だ。小さなディスプレイの下部にプラスチックのキーボードが固定された携帯電話はゼロ年代文化の象徴である。そしてこの情報端末の流通において無視することできないのは、読者の消滅による独り言の全盛だと言える。

ドイツの思想家、ヴァルター・ベンヤミンは「複製技術時代の芸術作品」において、新聞の「投書欄」を通して書き手と読み手の関係が反転する可能性にいち早く言及した。少数の文学の書き手に対して、その数千倍の読み手がいるというそれまでの状況から、「ヨーロッパのほとんどすべての労働者は、その労働の経験や、苦情や、ルポタージュなどをどこかに公表するチャンスを、基本的にもてるようになっている」のだ。[6] しかしそうした大衆化から100年近い月日を経て、「書くこと」は更なる変化に晒された。

ガラケーで書くことは、読み手を消去したのである。ゼロ年代を生きた人々がガラケーを用いて利用することになる様々なサービスにおいて、ユーザーは誰かへのメッセージではない言葉を書きはじめた。それは投書欄や手紙、メールのように特定の読み手のために書かれていないがために、どうしても独り言になる。むしろ読み手の不在こそが、書くことを可能にした。そして先ほど指摘したように、独り言は、ガラケーのコミュニケーションを主題化した『ほしのこえ』においても顕著である。本作では誰かに届けることを意識して発声しているとは思えない声が映画の全体を覆っているのだ。遅延し、届かない（かもしれない）メールによって、書くことと伝えることは切断され、独り言が顔を出す。

例えば、2004年に開始されたウェブサイト作成サービスの「前略プロフィール」、そしてそれと併用されることの多かった「リアルタイム」（通称「リアル」）はまさにこうした言葉遣いがなされる場所だった。

「リアル」とは「Twitter（現X）のように「今日あったこと」や「今感じていること」を短文で書く簡易ブログである。しかし近年のSNSと異なり、他のユーザーをフォローすることはできない。そのため互いのページをガラケーのなかにブックマーク（ブクマ）して、それぞれの「リアル」に直接アクセスする。つながっているのに、バラバラな「リアル」。そこには、情景描写や固有名詞が欠けた状態の、感情や出来事についての独り言が羅列されていた。筆者が中学生の頃は、クラスメイトのほとんど全員が「リアル」を使っていたように記憶している。

そして初期の「Twitterもまた、独り言の側面が残されていた。一世を風靡した「〇〇なう」（「ラーメンなう」などと使用する。この場合は「今、ラーメンを食べています」の意味）という言葉は、誰かへのメッセージというより独り言である。しかし「リアル」には無かったフォローという機能は、独り言の可能性をかなり減らしてしまった。もはや近年のソーシャルメディアでは独り言は許されない。東日本大震災の際にあらゆるインフラが破綻し、手元にテレビもないなかでTwitterは情報収集に役立ったとされるが、その実用性と影響力が明らかにされるなかで、ツイートが嘘か真実かが取り沙汰されるようになっていった。そして利用者が増加することで、独り言であれば問題とならないような冗談や嘘、暴言ですら過剰な批判に晒されることになる。インターネットへと開かれていながらも、曖昧に閉じたコミュニティだった「前略プロフィール」や「リアル」における独り言は、現在のソーシャルメディアにおいては不可能である。

ガラケーから、iPhoneをはじめとしたスマートフォンへの移行と並行して、フォロー機能を備えたSNSが浸透して社会インフラの一部として定着した。そして私たちの独り言は公共性を求められるようになる。「つぶやき」（tweet）であるにもかかわらず、読み手と書き手の関係を正しく構築することを要請し、発言の正当性と真実性の保証が求められてしまうのだ。現在のソーシャルメディアにおいて言葉は「する／される」という貧しさのなかに閉じ込められている。すべては伝え、伝えられる。もはやインターネットのなかに独り言はない。

『ほしのこえ』や「リアル」に見出すことのできる独り言は、ガラケーによって書かれ／読まれたケータイ小説においても顕著だ。速水健朗はケータイ小説の特徴として「回想的モノローグ」「固有名詞の欠如」「情景描写の欠如」の3つを挙げながら、それらをケータイ小説と歌手の浜崎あゆみの歌詞に共通するコードとして提示する。[7] 欠如において特徴付けられた後者二つは文字通りに理解できるが、「回想的モノローグ」とはなんだろう？ それはケータイ小説を代表する『恋空』から抜き出すなら、以下のような記述だと言う。

あの幸せだった日々は嘘じゃない、そう信じていたから。
でも、もう本当にダメなんだね。
もう本当に本当に二人はダメになっちゃったんだね。[8]

ウェブへの公開時の作品紹介欄で「実話をもとに作成しています」と宣言された本作は、そうであるからこそ、執筆と思い出のあいだの距離によって回想的な語りが散りばめられている。[9] それが回想的モノローグだ。つまり基本的に第三者視点で書かれる『恋空』のなかで書き手と登場人物の人称が重なり合うことで、テクストが独り言に変質するのである。それは寺山修司を通じて論じた「私」や「われ」の社会性とは異なり、まるで読者などいないかのような荒廃した質感を伴っている。だがその代わりに、独りきりで書いているにもかかわらず、自分を二つに分割することにも成功しているのだ。
ケータイ小説の言葉は、代筆において、依頼主の想いを確定させるための話し合いで発される言葉と類似している。執筆に先立つ話し合いという共同作業において、人は、完了時制によって過去と現在を媒介しながら話す。そこにあるのは話し合いにおける「ずっと愛していた」から、実際の手紙における「愛してる」への移行過程の歯切れの悪さである。一方で『恋空』における「ダメなんだね／ダメになっちゃったんだね」という繰り返しにおいて移動する時制は、自動手記人形の身体を通じてはじめて可能になると思われた代筆の時間を文中に実装することに成功しているのだ。そしてそれこそが速水によって「回想的」だと指摘された所以である。私たちは、ガラケーの時代の独り言によって、代筆的想像力を、ひとつの身体で実現することができるかもしれない。つまり完了時制と現在形の行き来が、独り言のなかで達成されるのだ。これは驚くべきことである。

多くのケータイ小説の主人公はレイプや恋人の病死、事故死といった不幸に見舞われる。しかし物語内人物＝筆者は不幸を社会に訴えかけるのではなく、不幸を囁くのだ。『恋空』の作者である美嘉が、作品紹介において「実話をもとに作成しています」と述べたように、それは「書かれる」というより「作成される」。彼女の言葉は告白でも告発でもない。だから能動と受動の、つまり「する／される」の対比で語ることのできない言葉が綴られていく。美嘉が作成した物語においては、能動と中動が対立している。つまり主語の輪郭が問われている。ケータイ小説のなかで主語の内外を移動する動詞は、主語の輪郭を自由に切り替えながら、いくつもの時制を移動するのだ。固有名詞と情景描写が極限まで削り落とされた、ラベルを剝がされたペットボトルのような世界で、複数の時制のあいだで、「私」のアウトラインが振動する。それこそがケータイ小説の特徴である。

そしてケータイ小説において独り言が囁かれるとき、つまり物語が作成される瞬間、読者が消滅していく。この消滅によってケータイ小説の評価し難さ、つまり「共感」と呼ばれる強い作用の全面化が生じたのだと僕は考えている。ケータイ小説にあるのは他者の消滅なのだ。そこには「読む／読まれる」という関係はない。そもそも恋する相手が死んだ「後」で、回想的に書かれていたりするのがケータイ小説なのだ。そうして自分自身のために書かれた物語として『恋空』を捉えることで、読み手である人々は物語へと巻き込まれていく。その主語を自分のものとする。移入する。そうして一介のインターネットユーザーから、ケータイ小説は、世界で唯一の読者＝筆者へと自らを変身させることで、絶対共感領域が発現する。ケータイ小説は、近代文学が前提とした政治的文脈や歴史的進歩はまったく考慮しない。そこには他者のいない荒野でただ一人立ち尽くすことの絶望が、読者の不在こそが、読者を生成するという反転がある。

こうした反転を生き抜く美学はいわゆる「作品」の外でも散見された。それが「リアル」への投稿である。そこで人々は、時制を飛び越え、私の範囲を様々に再制作しながら、強い共感へと同級生を巻き込んでいく。「放課後、泣いちゃったの」「分かってくれた?」「ありがとう……」「もう○○しか信じられない!」。すべては独り言である。

『ほしのこえ』は独り言と会話の混交というかたちで、メディアの両義性を露出させた。そして『恋空』は徹底的な独り言を通じて、過去と現在を自由に媒介する完了時制によって、書く／読むの対立を超えたところで物語を書き＝読む可能性を示した。こうして明らかになるのは、代筆における二人が一人であるような執筆主体が、ガラケーの周囲で奇妙にも実現されていることである。それは共感を誘う独り言による機能だ。

まさに寺山修司の短歌でなされていたような人称の問題、「語り＝騙り」が、散文的な若者言葉のなかで実験されたのがケータイ小説や「リアル」なのである。

独り言は、何よりまず自分自身によって聞き取られるものだ。自分が発した独り言を聞き逃すことはできない。むしろ、意識せずに発された独り言によって、新たな真実に気付くことさえあるだろう。一人暮らしの家を出る直前に思わずこぼした「行きたくないなあ」という言葉が、「行きたくなかった」という気持ちを自らに知らしめるのだ。そこで自分は二つになる。

『ほしのこえ』や『恋空』では、独りきりであることこそが、単数の自分のなかに二人の自分を現象させているのだ。私を私と会話させるのだ。これらの作品を楽しむ人々は、映画鑑賞や読書をしているというよりも、物語に巻き込まれることを楽しんでいるし、それに救われている。独り言は、自動手記人形という代筆的想像力が、ひとつの身体のなかで生じる契機なのだ。それは孤独であることの非単数性である。

独り言を通じて明らかになる孤独の非単数性は、強い共感によって人々を巻き込みながら物語を展開するだろう。つまり独り言とは、ラブレターにおいて可能になる「二人であることの孤独」の裏面なのだ。

愛する人の光年性

ところでＮＡＳＡが地球外知的生命体のために制作し、送り出したボイジャーのゴールデンレコードの記録がまとめられた書籍の英語タイトルは『Murmurs of Earth』、つまり地球の「独り言」や「囁き」と訳出できるものである。[10] ゴールデンレコードは、光年の隔たりを前提に、光年性によって私たち人類を再定義する。それは人類の威信をかけた壮大な独り言である。

ＮＡＳＡの計画において人類のイメージを再定義するのは不在の地球外知的生命体だった。その不在は、たんに実在し得ない虚構ということではない。むしろ地球外知的生命体は徹底的に具体的に想像される。その不在は『ほしのこえ』を踏まえてみるなら、やはり「光年性」と呼ぶしかないのだ。現前こそが不在の可能性を意味し、不在こそが実在を喚起するような恋する相手のゆらぎ。光年性において、ＮＡＳＡにとっての地球外知的生命体と、ノボルにとってのミカコは等価だ。そしてケータイ小説や「リアル」における独り言は、世界を、光年的な不在と存在の両義性のなかに保留する。

光年性。それは自動手記人形の等価物であり、その抽象的な存在形式である。そしてそれは抽象的であるが故に、私たちがラブレターを書くときに活用することが可能だ。光年性と向き合うとき、書き手は独り言を開始する。時制を行き来して「する／される」の関係の外で主語の単位を組み替え続ける。独りきりのままで代筆的な想像力へと辿り着かせるのが光年性なのだ。そこで書き手は「私に代わって／私が書く」ような奇妙な執筆状況に入っていくのである。私は消滅し、再生する。過去と現在を完了時制が媒介することで、単線的な時間構造は破壊される。孤独であることの非単数性が、他者を誘惑して、主語に巻き込んでいく（こうした運動を過去の僕は「新しい孤独」と呼んでいた[11]）。

自動手記人形と光年性を通じて私たちは、ラブレターにおける代筆的想像力を具体的かつ抽象的に理解することができた。ラブレターの書き手は、完了時制によって過去と現在を媒介し、「する／される」の外で「私」を制作する。そのためには自動手記人形との共同作業や光年性と向き合うことで発せられる独り言が必要だ。そして独り言によって他者を現象させ、他者を巻き込む共感的な力学こそが、ラブレターを書くことを可能にする。

だがガラケーの時代は終わった。現在のソーシャルメディアで独り言は許されず、そうであるがためにすべての発言は「する／される」の対立へと配置されていく。しかしガラケーの時代の後で生きる私たちは、その前後の時代の情報環境においてなされた試みを確認することで、光年性を再び運用することができるかもしれない。

次の節では、筆者が実際に制作したウェブページを題材として光年性を掘り下げていきたい。

3-2　行為＝場所としてのポスト

画像投稿サイトの制作

２０２１年、僕はひとつのウェブページを作った。《Your Clock／あなたの時計》と題されたこのページは、僕なりのラブレターのメディアだった。つまり、ある人と僕のあいだで、ボイジャーのゴールデンレコードや『ほしのこえ』を可能にした光年性のようなものとして機能することを目指してプログラムを書いたのである。

《あなたの時計》は、この世界のなかの、たった一人のためだけに作られたウェブページだった。しかし本来の役目を果たすことはなかったため、翌２０２２年に一般公開した。その際には「１枚の画像しか存在できない画像投稿サイト」であり、「アカウント不在のソーシャルメディア」として紹介した。結果としてイーロン・マスクによる Twitter 買収騒動に揺れるソーシャルメディアで大きな反響を呼んだ。

実際の挙動を記述してみよう。ウェブページにアクセスすると、1枚の画像がブラウザの縦横いっぱいに引き伸ばされて余白なく表示される。あっけないかもしれないが、それだけだ。しかしその画像を直接タップすることでメニューがポップアップするので、そこからユーザーは別の画像をアップロードして貼り付けることができる。そうして新たな画像が貼り付けられると、もともとあった画像はサーバーから消去される。つまり僕がアップロードした画像もまた、他の誰かにタップされて上書きされる。ただひとつの場所に、何枚もの画像が繰り返し貼り替えられながら表示されるのだ。当初はこうした画像の貼り替えのコミュニケーションを一人の相手と交わしたいと考えてプログラムを書いたのだが、結果的には不特定多数の匿名の人々が交流する場所となった。

最も盛り上がったときは毎秒以上の頻度で誰かが画像を貼り替える状況が生まれた。ワールド・ワイド・ウェブ上の固有の座標（URL）に保存された画像が、信じられない速度で別の画像によって貼り替えられ続けたのだ。そこには誰かの晩御飯から独りきりの寝室の天井、漫画のスクリーンショット、ポルノ、ブラクラ、個人的な思いが綴られたメモまでの多様な画像が貼り重ね／貼り捨てられた。ページをリロードすると別の画像が表示される。その連鎖は、まるでひとつの風景映画における多様なモンタージュを眺めるような時間に思えた。

僕が《あなたの時計》を着想したのは、個人的に恋する人とのコミュニケーションを改善するためだったが、それはひとつの違和感によって生じたものである。しかし身勝手な違和感だった。どういうことかと言えば、ＬＩＮＥにおいて特定の人物とのコミュニケーションを試みていたにもかかわらず、ある日を境に返信が来なくなってしまったのだ。待ち続ける時間のなかで、僕は、返信が来ない原因を自分自身ではなくＬＩＮＥのインターフェイスの画面設計へと責任転嫁したのである。返信の不在は明らかに相手が自分に興味がないからなのだが、その返信の不在をインターフェイスに押し付けたとき、新たなコミュニケーションのあり方を思い付いてしまった。

そのときに違和感を持ったのは、ＬＩＮＥをはじめとしたメッセージアプリや各種ソーシャルメディアのダイレクトメッセージ機能におけるコミュニケーションが、色分けされた「吹き出し」のメタファーによって支えられていることである。それは漫画の登場人物がそうであるように、複数の人間が共に同じ空間に立って、個別の身体から発言することを前提とした／仮構する設計である。

しかし「共に同じ空間に立つ」というイリュージョンこそがコミュニケーションの障害となっているのだと僕は思った。「同じ空間に立ち会い続ける」というのは疲れてしまうかもしれないし、人によってはストレスだろう、と。

だからインターネット上のひとつの場所において、まったく異なる仕方で、人と人が居合わせる方法を作り出そうと考えたのである。そこで発想したのは「大富豪」などのトランプゲームにおいて場に重ねられるカードのように、それぞれのメッセージが一箇所に重なり合って見えなくなっていくようなコミュニケーションだった。そうしてLINEをはじめとしたメッセージアプリにおける「同じ空間に立つ」ことの緊張と、過去の発言が残り続けることの逃げ場のなさという二つの特徴を廃したやり取りが可能なウェブページを作ることにした。つまり「同時に居合わせない」にもかかわらず、相手が「いた」という痕跡に立ち会うことでコミュニケーションが円滑になるのではないかと考えたのだ。そうして僕は《あなたの時計》というウェブページをプログラムした。

念の為、現実について記しておくと、返信の不在はインターフェイスの問題ではなかった。だから《あなたの時計》は本来の用途を果たすことはできなかった。一度も画像は貼り替えられなかった。当たり前である。しかし先ほど述べたように制作から1年経ったタイミングで不特定多数に公開すると大きな注目を集めることになった。こうして本来の意図とは無関係に創作物が評価されることがあるのは驚きだったし、システムを作ることの面白さを知ることができた。

だがこうした行動は身勝手であり、誤っている。非対称な関係であれば相手に強い恐怖を与えることもある。二度と相手の尊厳を軽視することがないように気をつけたいと思っているし、本当に反省している。だがそれでも、ここで達成されてしまったことについて考えることは「ラブレターの書き方」という本を僕が書く上で避けることができないと考えたため、こうして詳述している。

プログラムの光年性

本来の目的と最終的な結末のあいだで、《あなたの時計》を通じてひとつの発見をした。それは、このウェブページの説明にあたって使用していた「ポスト」という言葉が場所と行為を同時に意味することである。

そもそも「ポスト」(post) とは、郵便箱や郵便局、新聞、職業的な地位、時間的な位置を意味する名詞であると同時に、ソーシャルメディアや雑誌への投稿を意味する動詞だ。つまりそれは「場所」と「行為」を同時に意味する英単語なのだ。それらの意味の峻別は日常的には文脈によってなされる。例えば「I posted it on the wall (私はそれを壁に貼った)」、「Please take this letter to the post (この手紙をポストに入れて下さい)」など。

だが《あなたの時計》におけるユーザの一挙手一投足は、こうした区別ができないポストがあることを教えてくれた。つまりそこでは行為が即場所となり、場所が即行為となる。ここで画面をタップしてなされる画像の投稿行為は、一時的に占有することになるワールド・ワイド・ウェブのなかのひとつの場所（ＵＲＬ）を同時に意味する。そうして行為と場所が完全に一致するとき、ＬＩＮＥのように同じ空間に立ち会うことの直面性は消えて無くなる。なぜならその場所は、さっきまであなたがいた場所は、別の人の行為によって事後的に陣取られるからだ。あなたと私が同時に居合わせることはできない。しかし関わり合うことができないわけではない。もしもあなたが他者と関わろうとするなら、あなたもまた行為＝場所としてのポストに身を投じればいいのだ。しかしあなたのポストによって他者は不在となる。あなたが出会うことができるのは他者のポストの完了時制だけなのだ。あなたが画像をポストする直前にそこにあったもの。それは完了時制の他者である。まるでインターネットのなかの廃墟のように《あなたの時計》は人々のポストを刻み続ける。

そうして人と人が互い違いにひとつの行為＝場所、つまりポストする／になることで、従来のインターフェイスにおける返信のハードルを書き換えることができるのではないかと、当初の僕は直感していたのかもしれない。それは果たされなかったが、フォロー機能が登場して以降のソーシャルメディアで失われた、孤独であることの非単数性の、つまり他者の光年性を発現させるメディアとして《あなたの時計》は役立ったように思える。

《あなたの時計》は、ガラケーに代わって、私たちを光年性と直面させることができる。

ポストは光年性の、ひとつのあり方である。なぜなら場所＝行為の同時性は、対象を不在に至らせるのだが、その不在は他者の実在に即した前提なのだ。それは光年性である。

そしてポストを通じて捉えられる光年性こそが、手紙やメールと、ＬＩＮＥをはじめとしたメッセージアプリ、ひいては「リアル」とフォロー機能を備えたソーシャルメディアの差異である。手紙やメールは目の前に相手がいないことの、その不在において言葉を書くことを可能にする。だがメッセージアプリにおいて、色分けされた吹き出しの横に添えられた「既読」という文字は、相手が立ち会っていることを強調する。さらに近年は、自分や相手が言葉を打ちこんでいるあいだ「……」という沈黙表現を吹き出しのなかに取り入れることで、言葉を発する前から自分がそこにいることを表明させられる。つまりメッセージアプリは、自分と相手が不在になる可能性を徹底的に排除するインターフェイスなのだ。だからこそ、今日においても、最も大切な愛の言葉はメッセージのアプリの外で書かれる。メモ帳アプリのなかで何度も書き直される言葉は、同じ空間に立ち会っていては書くことができない、ラブレターの執筆空間なのだ。それは誤送信を避けるためであるのだが、誤送信とはまさに同じ空間に立ち会って話すからこそ生じる言い間違いのようなものである。そうであるならメモ帳アプリのなかで言葉を選ぶ時間は、光年性における不在へと、自ら飛び込もうとしていることを意味する。だがそうして隠れることはメッセージアプリのなかでは不可能である。

メッセージアプリにおける不在の不可能性、つまり同じ空間に立ち会うことの強制は、複数人が行き交うフォロー機能を備えたソーシャルメディアの設計においても顕著である。近年のTwitterやInstagram、Tiktokなどのソーシャルメディアでは自分の投稿への「いいね」や「シェア」、あるいは自身のアカウントが「メンション」や「タグ付け」されたときに、私たちのスマートフォンの画面を光らせ、振動させる。画面の上方から「通知」がなされる。なにかと私たちが関係して接触した事実が日常のなかにポップアップする。そうして光年的な不在は不可能になる。投稿をするときも、投稿へ反応するときも、私たちの存在は瞬時に通知されるのだ。それはガラケーの時代にあった「リアル」への投稿ではあり得ないことだった。

ここで僕は、こうしてすべてが接続されて、常に通知に怯えなくてはならない日々への愚痴を漏らしたいのではないし、ガラケー文化を懐かしみたいのでもない。そんなのは批判でも批評でもない。ここで述べたいのは、メッセージアプリやソーシャルメディアにおける光年性の不可能性を、メールや「リアル」、メモ帳アプリや《あなたの時計》における存在の不在化と比較することで、行為＝場所としてのポストの意味を探ることである。その比較は「書くこと」がいくつかの次元に分裂していることを明らかにする。

たんなる行為ではなく、それ自体が場所でもあるような「ポスト」において、私たちは不在となることができる。他者の存在を消し去ることに条件付けられたポスト。その行為＝場所が生じる刹那、その一瞬前にのみ現象する他者。《あなたの時計》には他者のポストだけが残されている。しかし既に他者は不在だ。私たちの語彙で表現するなら、光年性の彼方に他者がいるとも言えるのだが、立ち会うことはできない。あなたにできるのはポストだけだ。そうして今度は別の誰かがあなたの不在と出会う。残るのは光年性という他者の揺らぎだけだ。

私たちは、こうして光年性の、より日常的で今日的な実践可能性としての「ポスト」を知ることができる。

そして行為＝場所としての「ポスト」を可能にするのはプログラムである。《あなたの時計》の場合は、PHP（「Hypertext Preprocessor」を再帰的に略したもの）というオープンソースの汎用プログラミング言語によってプログラムされている。具体的には「POSTメソッド」という、ファイルのアップロードを可能にする機能を使用した。一般的な用途で「POSTメソッド」を使う際は、アップロードされるファイルの名前を日付や連番文字などで書き換えることで重複しないようにする。それぞれ異なるファイル名が与えられないと処理に不都合が生じるからだ。

しかし《あなたの時計》では画像ファイル以外のアップロードをできないようにした上

で、あえてすべての画像を同じファイル名に書き換えてアップロードするようにプログラムした。すると、すでにある画像と新しくアップロードされた画像が同一のファイル名であるため、誤作動として、元々あった画像は新しい画像に上書きされてしまう。ただそれだけのプログラムである。専門のエンジニアからしたら、溜め息が出るほど簡単なプログラムだ。おそらくアイデアさえあれば、週末に勉強すれば誰でも作れるだろう。

だがその単純さに反して、《あなたの時計》は、ソーシャルメディアにおける通知によって私たちの日常が汚染されて以降の社会で、インターネットのなかに光年性を導入する。そこであなたは不在と出会うのだ。そしてあなたは行為と場所に引き裂かれながら、行為と場所を同時に担うポスト主体になる。

僕の書いたPHPプログラムは自動手記人形として駆動しはじめたのだ。なぜならこのプログラムこそが、あなたの主語を奪いつつ、あなたに主語を与えるものだからだ。そこで「私」という主語は分有される。しかしこの分有は永遠ではない。別の誰かとプログラムが共同作業をはじめたとき、分有されたあなたは消滅してしまう。もしもこの消滅に抗おうとするなら、あなた自身が永遠に《あなたの時計》をタップし続けるしかない。

つまり私たちは、主語の分有において条件付けられる自動手記人形と共同することが、一時的であってもできるのだ。《あなたの時計》において、あなたは独りきりのままで行為と場所に分裂しながら、他者の光年性と出会うことができる。

こうして光年性において現象する他者の不在。それはプログラムを自動手記人形のような他者として認めることでもあるだろう。プログラムそれ自体を、ひとつの他者として考えたとき、その光年性を可能にするひとつの方法が「ポスト」なのである。

以上の議論をコンピュータの他者性として理解するのなら、メディアアーティストの久保田晃弘は『遥かなる他者のためのデザイン』のなかで以下のように述べている。

コンピュータは、人間とは根本的に異なる能力や論理構造を備えた「他者」というべきだ。だとすれば、今度はコンピュータのラディカルな他者性（otherness）にこそ、フォーカスを当てなければならない。[12]

久保田の書名に冠された「デザイン」は、19世紀の万国博覧会以降、今日的な意味で使用されるようになった言葉である。それはＭｏＭＡ（ニューヨーク近代美術館）と資本主義企業を中心とした方向づけによってグッド（な）デザインを、つまり社会や生活からの摩擦の消去を最上の価値のする考え方だ。[13] デザインは世界から摩擦を消去して、親しみやすさを設計する。そして流線形のデザインが跋扈する。つまりなめらかであること、摩擦がないことこそが、一般的なデザインの価値なのだ。そこに他者はいない。

だが久保田は「デザイン」という言葉が、本来は「工学的な設計」を意味したのだとした上で、むしろ世界に摩擦を導入するための語彙として用い直す。彼によると、デザインにはファミリア（親しみやすいもの）とストレンジ（奇妙なもの）の二つがある。それらは摩擦の有無と対応した区別だ。そしてまさに「設計」の極地であるコンピュータが他者として現れるとき、摩擦を持つとき、私たちはファミリア／ストレンジという人間中心主義的な価値の尺度を超えることができる。

世界に摩擦が取り戻されること。擦れ合うものたちが熱を持つこと。そのために技術を使うとき、いや、技術自体が他者として現れるとき……人間のいないところに他者が現れる。そうして不在であることこそが存在の証左であるような他者とは、光年性の彼方に潜む地球外知的生命体やミカコのことだ。彼ら、彼女らと私たちがコミュニケーションを開始するためにはプログラム、コンピュータ、そして自動手記人形といった共同作業者が必要である。

そこではもはや私たちの側も変化を避けることができない。人類が人類でなくなることで人類になるような、ねじれた同語反復的な弁証法を可能にする出会いの場のひとつが『あなたの時計』である。

ちなみにインターネットのなかで《あなたの時計》のディレクトリを指示する文字列に

は、そこに込められた思想のすべてが収束している。「ihopetodisappearwithyouforever」。直訳するなら「アナタトイッショニエイエンニショウメツシタイ」である。

3-3 インターネットのなかのラブレター

情報的遠距離恋愛

１９８９年、ティム・バーナーズ＝リーがワールド・ワイド・ウェブを発表し、翌年には初のウェブサイトを公開。そして１９９５年にWindows95が発売されることで、インターネットを用いた表現が急激に拡がっていく。[14]

その成果は、RHIZOMEによってまとめられた「Net Art Anthology」に詳しい。[15] しかしこれらの実践は、メディアアートほどにギャラリーや美術館での展示には向いておらず、さらに同時代に論じられた芸術理論よりもハッカー的でアナーキーな攻撃性を有していたり、あまりに個人的だったりした。そのため美術史との接続が充分になされてきたとは言い難い。

そうしたなかで、私たちの議論と関係する実践がある。それはアーティストのオーリア・ハーヴェイとミヒャエル・サミンが行ったラブレターの交換である。[16] 一連のプロジェクトは《Skinonskinonskin》（肌ノウエノ肌ノウエノ肌）と題されたもので、現在はRHIZOMEのアーカイブサイトで誰もが見ることができる。

１９９９年、ベルリンに住んでいたサミンはウェブサイト「hell.com」でZuper!と名乗っていた。ここで彼はEntropy8というハンドルネームの、ニューヨーク在住のハーヴェイと出会う。そしてZuper!（サミン）は、Entropy8（ハーヴェイ）に対して「breath.html」というJavaScriptやFlashといったプログラムで手作りされたウェブページを送った。それは空間的に遠く隔てられた彼なりのラブレターだった。

Zuper!（サミン）は、まったく新しい仕方で愛を伝え、親密さをつくり出そうとした。なぜなら当時の脆弱な通信環境では、音声通話もビデオ通話も満足にはできない。そこで彼は遠距離恋愛を再発明したのだ。

最初に送られた「breath.html」は暗闇のなかに人間の胸部のみが浮かび上がったようなページである。一画面が表示されるとともに、録音された彼の呼吸音と心臓音が聞こえるページである。一定のリズムで繰り返される呼吸を聞きながら、青白い胸部が表示された黒い画面の前でマウスを動かしてみる。すると画面上には左右反転した二つ目のカーソルが表示される。このページを表示しながらカーソルを動かすと、二つのカーソルが鏡合わせのように上下左右に動くのだ。二つのカーソルは画面の中央、画面内の男性の胸部の上でのみ重なり合う。

マウスを握った手首を振ると、踊るように動き回る二つのカーソルは、画面のこちらとそちらにいる二人がカーソルというアバターを通じて戯れ、その胸の上で抱き合ってキスをするようなエロティックな印象すら与える。

しかしこのページを特徴付けるのは、こうした視覚的かつ身体的な経験だけではない。このページのソースコードには解体された愛のメッセージが隠されている。JavaScript における Array（配列）としてバラバラになったメッセージが whispers（ささやき）へと代入されることで、ひとつのテクストとなる。一部を引用すると以下のようになっている。

```
<SCRIPT LANGUAGE="Javascript">
<!--

whispers = new Array();
whispers[0] = "breath me";（ブレス・ミー）
whispers[1] = "i will love you forever";（永遠に愛してる）
whispers[2] = "skin";（肌）
whispers[3] = "skin on skin";（肌の上の肌）
```

whispers[4] = "skin on skin on skin"；（肌の上の肌の上の肌）
whispers[5] = "implode"；（破裂する）
whispers[6] = "soft"；（やわらかく）
whispers[7] = "slow"；（ゆっくりと）
whispers[8] = "can you feel me?"；（私を感じることができる？）
whispers[9] = "touch me"；（触れて）
whispers[10] = "one more cigarette"；（タバコをもう１本）
whispers[11] = "i am so open"；（とても開かれている）
whispers[12] = "i want to feel you inside of me"；（あなたを内側に感じたい）
whispers[13] = "smoke"；（吸って）
whispers[14] = "i want to breathe you"；（ブレス・ユー）
whispers[15] = "we are smoke"；（私たちは吸う）
whispers[16] = "yesss"；（そうそう）
whispers[17] = "deeper"；（もっと深く）
whispers[18] = "i am disappearing"；（私は消滅していく）
whispers[19] = "warm"；（あたたかい）[17]

Zuper!（サミン）は彼の身体において行われる呼吸を音声と画像に解体しながら、改行詩のように解体された文字列のなかで皮膚の内外のイメージをささやきへと代入し……こちらとそちらのカーソルを、恋する相手の手によって彼の胸の上で重なり合わせる。こうした多層的なコミュニケーションによってZuper!は、彼自身であるところのミヒャエル・サミンの身体をインターネットのなかへと解体し、相手に再構成させることでラブレターとして送信したのだ。

そしてEntropy8（ハーヴェイ）もまたウェブページを作って返信をした。そのやりとりは数カ月にわたって続けられたという。

アナグラムという解体＝組織

「breath.html」で行われたのは、恋のささやきだ。ただ一人の「あなた」にとっての聖なるものへと自分自身を変質させるために、それぞれのファイル形式に向けて自らの身体を解体しながら、それを恋する相手とウェブブラウザによって再構成させるプロセスこそがこのサイトの魅力である。その戯れは、アナグラムという言葉遊びを全身で楽しんでいるようですらある。

アナグラムとはひとつの意味を持った文字列を並べ替えることで、別の意味を持った文字列を作り出す言葉遊びだ。例えば「Anagrams」（アナグラム）を並べ替えると「Ars

Magna」（偉大な芸術）といった別の意味へと作り替えることができる。

思想家のジャン・ボードリヤールは、アナグラムを、解体によって詩を生成する破壊的なプロセスとして理解した。彼は主著『象徴交換と死』において、多義的な意味での「経済」の分析を出発点として、共同体とその権力が死や死体をどのように扱うのかについて考察を深めたのだが、そのなかでアナグラムに紙幅が割かれている。

ボードリヤールにとって、アナグラムとはまず詩的実践だった。それはひとつの詩のなかに英雄や王、そして神の名といった「テーマ語」を音節によって切り分けて、離散的に配置する手法を意味する。[18]だがボードリヤールは文学研究者ではない。彼にとって重要なのはアナグラムの法則の検証や定義、そして詩のなかに隠されたテーマ語の解読ではなく、テーマ語の解体こそが詩を生成するという破壊的なプロセスそれ自体なのだった。[19]

彼によれば、アナグラムは実践と思考のモデルとして、文学に限らない社会的な営みのなかに見出すことができる。それを踏まえると先ほどの《Skinonskinonskin》の理解も深まるだろう。例えば「未開社会」についての記述において、ボードリヤールはアナグラムの可能性にふれている。それは「死」や「死体」が自然化されておらず、ひとつの社会関係であるような未開社会の人々についての物語だ。[20]ここで彼は、未開社会において死者が共同体から疎外されず、その構成員の人肉嗜食（カニバリズム）によって解体された死体が共同体へと再度組み込まれる供儀のプロセスを描き出した。彼曰く、「ひとを食うことは、つねに敬意の徴(しるし)であり、だからこそその人は聖なるものになる」[21]。それは死んでしまった仲間の身体がバラバラになって、その仲間たちによって食されることで、共同体が強化されるという驚異的な物語だ。

そして対象の解体による聖なるものへの変質。そのプロセスに着目することで、私たちは人肉嗜食という死の象徴交換をアナグラムのモデルと紐づけることができる。つまりアナグラムとは解体と構築という矛盾するプロセスの同時進行を意味する。そこでは構築こそが解体するし、解体こそが構築するのだ。

サミンは自らの身体を解体し構築することで、つまり身体を情報化することで、自身をアナグラムの運動に巻き込んでラブレターとして送信した。これは行為＝場所としてのポストの別のあり方である。自分自身が恋する相手の目の前に赴くことができないからこそ、サミンは、断片化した自分の身体と想いを相手の目と耳と手で再構成させようとしたのだ。

そこでは肉体が分裂することで、不在であると同時に存在し、そうであるが故に語りかけると同時に語らされる。そうして彼はアナグラムにおける解体＝構築の運動のなかで、自らの愛に相手を巻き込んでいく。ウェブブラウザのなかに現れるサミンは、まさに光年性を伴って現象するだろう。

感染性カーソル

アナグラムのプロセスは、ウイルスの感染と類似している。生物の遺伝子情報はＤＮＡにおいて、センス鎖とアンセンス鎖の二重ラセン構造によって記述されるが、それぞれの鎖は相補的な鋳型となっている。さらにＤＮＡがほどかれて、その一方の鎖が読み取られることで、ほとんど同じ塩基配列のｍＲＮＡ（メッセンジャーＲＮＡ）へと転写される。このｍＲＮＡとアミノ酸が結合することで翻訳され蛋白質が作られる……これが生物の内部で起こる自己複製の過程だ。[22]

さらにここにウイルスが加わるとどうなるか。まずウイルスは細菌と異なり自分で蛋白質を作ることができない。そこで宿主細胞のＤＮＡかＲＮＡの合成力を利用して増殖する。[23]つまりウイルス自体で細胞分裂するのではなく、生物としての人間の生存のシステムの複製過程を利用しながら増殖するのだ。つまり「感染」とはＤＮＡの二重螺旋や、ＤＮＡとｍＲＮＡといった二者関係のあいだにウイルスが侵入し、肉体を再組織することを意味する。新型コロナウイルスの感染拡大にあたって世界中で接種されたモデルナやファイザーのｍＲＮＡワクチンも同様の構造である。[24]

《Skinonskinonskin》において人々が動かすカーソルは、ＤＮＡとｍＲＮＡの二者関係を書き換えるウイルスのように二人のあいだで蠢（うごめ）いている。画面内で複製されたカーソルは「解体＝組織」する。否、カーソルはサミンの身体を解体すると同時に組織する行為＝場所なのだ。つまりアナグラムとしてのポストの等価物こそが「breath.html」のカーソルである。このサイトにおける二つのカーソルは、自動手記人形のように二者関係を代筆し続けるのだ。

近代以降の美術や文学において維持された作者の特権や鑑賞者の解釈権は、「breath.html」において、分裂したカーソルによる身体の解体＝組織という感染過程のなかで蒸発する。既存の芸術において守られていた作り手／受け手の安定した位置、つまり名詞としてのポストは、行為＝場所としてのポストの二重性によって上書きされる。

感染性カーソルにおける行為＝場所。それはコンピュータのインターフェイスにおける「矢印」の本来の機能をラディカルに露出させたものだ。つまりカーソルという矢印は、画面上の位置を示すと同時に、コンピュータのなかで人間の行為を代補する。対象の位置を示し、選択し、実行させるのがカーソルなのだ。そうした二重の機能を、遠距離恋愛のために作り替えた変異種こそが「breath.html」における感染性カーソルである。

その感染を可能にするのは、超遠距離恋愛のなかでなされたラブレターの制作の賜物だ。これまで《Skinonskinonskin》は美術史や文化史において省みられることは殆どなかったが、ラブレターの歴史においては絶対に欠かすことのできない重要なリファレンスである。

このラブレターはインターネットで公開されている。つまり誰でもアクセスできる。匿名かつ不特定多数のインターネットユーザーが、「breath.html」が表示されたブラウザの前で、カーソルを動かすとき……その匿名者たちのカーソルもまた、二者関係を書き換えるウイルスとして蠢きはじめる。つまり「breath.html」というラブレターは、地球外知的生命体に向けられたボイジャーのゴールデンレコードが地球人類をも受信者として想定していたように、受け手が二重になっているのだ。ラブレターの受け手は、恋する相手であるハーヴェイであると同時に、匿名のインターネットユーザーたちである。

感染性カーソルは、私たちが気がつかないうちに、私たちと共同してミヒャエル・サミンの告白を何度もリプレイする。そのリプレイはカーソルの行為＝場所というポストに基づいたアナグラムの解体＝構築の運動によって実現するのだ。インターネットのなかでラブレターを書こうとしたサミンは、そんな状況を作り出すことに成功した。そこにいる告白主体は、もはやサミンではない。サミンは感染性カーソルを介して解体＝構築されながら、分裂しつつ統合され、そして生まれ変わる。

第一部では、ラブレターを書く主体として、恋文横丁で働く人々や自動手記人形といった代筆的想像力を起点としながら、寺山修司のラブレターと短歌を通じて人称の問題を掘り下げつつ病的な詩と詩的な病いを分別し、その上でラブレターの受け手としての光年性をモデル化した。その上で、ラブレターとは「彼女の動作で」「海で」、あるいは「私に代わって／私が」書くものであることも確認できたと思う。

そうした相互性を踏まえつつ、ここまで繰り返し使用してきた「恋愛」（love）の意味を探る必要があるだろう。第二部では「恋愛」の意味を探りつつ、今日の社会において可能な「恋人たちの共同体」の可能性と実践方法を描き出してみたい。

注釈

1　NASA, "Greetings to the Universe in 55 Different Languages"（https://voyager.jpl.nasa.gov/golden-record/whats-on-the-record/greetings/、最終アクセス２０２３年7月31日）

2　ジュゼッペ・コッコーニ、フィリップ・モリソン「星間通信の探索」国立天文台、谷川清隆訳。一部の明らかな誤字を訂正。原文は G. Cocconi and P. Morrison, Searching for interstellar communications, 1959.（http://th.nao.ac.jp/MEMBER/tanikawa/list15/list151.html、最終アクセス２０２３年7月31日）

3　David Ehrlich "8 Films That Influenced Christopher Nolan's 'Interstellar'" IndieWire, 2014.10.28（https://www.indiewire.com/features/general/8-films-that-influenced-christopher-nolans-interstellar-270878/、最終アクセス２０２３年7月31日）

4　吉見俊哉『メディア文化論――メディアを学ぶ人のための15話〈改訂版〉』有斐閣アルマ、２０１２年。

5　東浩紀『サイバースペースはなぜそう呼ばれるか＋――東浩紀アーカイブス２』河出文庫、２０１１年。

6　多木浩二『ベンヤミン「複製技術時代の芸術作品」精読』岩波現代文庫、２０００年、１６８頁。

7　速水健朗『ケータイ小説的。〝再ヤンキー化〟時代の少女たち』原書房、２００８年、43頁。

8　美嘉『恋空〈上〉――切ナイ恋物語』スターツ出版、２００６年。

9　美嘉『切ナイ恋物語❀恋空❀前』魔法のｉらんど、２００５年（https://maho.jp/works/16743963567760734681、最終アクセス２０２３年7月31日）。

10　Carl Sagan "Murmurs of Earth : The Voyager Interstellar Record" Ballantine Books, 1984.

11　布施琳太郎「新しい孤独」ウェブ版美術手帖、２０１９年。

12　久保田晃弘『遥かなる他者のためのデザイン』ビー・エヌ・エヌ新社、２０１７年、４２６‐４２７頁。

13　ビアトリス・コロミーナ＋マークウィグリー『我々は人間なのか？――デザインと人間をめぐる考古学的覚書き』牧尾春喜訳、ビー・エヌ・エヌ新社、２０１７年。

14　正確には「ウェブ」と言うべきなのだが、ここでは議論に登場する用語が既に「インターネット」を誤用しており、それを都度毎に訂正するのは労力として誤っているように思うし、既に一般的に浸透していると考えて「インターネット」という言葉を「ＷＷＷ」や「ウェブ」の意味で用いる。

15　"Net Art Anthorogy" RHIZOME, 2019（https://anthology.rhizome.org/、最終アクセス２０２３年7月31日）

16 Entropy8Zuper! Skinonskinonskin 1999, "Net Art Anthlogy" RHIZOME（https://anthology.rhizome.org/skinonskinonskin、最終アクセス２０２３年7月31日）アーカイブページ。

17 Rindon Johnson, "Re:skinonskinonskin", RHIZOME、２０１７年5月16日。（rhizome.org/editorial/2017/may/26/re-skinonskinonskin、最終アクセス２０２３年7月31日）

18 林道郎『死者とともに生きる―ボードリヤール『象徴交換と死』を読み直す』現代書館、２０１５年、58頁。

19 同書、66頁。

20 ジャン・ボードリヤール『象徴交換と死』今村仁司、塚原史訳、ちくま学芸文庫、１９９２年、３１６頁。彼が「未開社会」と述べるとき、それは実在の部族などではなく、たんに概念としてとらえるべきである。

21 同書、３２９頁。

22 福岡伸一『生物と無生物のあいだ』講談社現代新書、２００７年。

23 額賀路嘉「コロナウイルスの構造と複製サイクル」城西国際大学（https://www.jiu.ac.jp/academic-covid-19/detail/id=11298、最終アクセス２０２３年7月31日）。

24 デブ・プラガド「[モデルナＣＥＯ独占取材] ｍＲＮＡワクチンはコロナだけでなく医療の在り方を変える」ニューズウィーク日本版、２０２１年8月5日号。

第二部　恋人たちの共同体

第四章　ラブとは何か

4-1　恋愛の起源

「love」の輸入

ひとつの根本的な疑問が頭をよぎる。恋文横丁で代筆屋を営んでいた菅谷が「結婚か、金か、あるいは純粋のラブであるのか」と一緒くたに述べるとき、それらは、私たちの人生にとってまったく異なる営みなのではないか？　という疑問だ。

この疑問は「恋愛」という営みが、そして「恋愛」という語が、どのように成立したのかに関わるものである。

本書は「ラブレター」それ自体ではなく「ラブレターの書き方」を考えることを目的としている。しかしラブレターは、ただの手紙ではなく「ラブ」において、あるいは「ラブ」のために書かれるテクストだ。そうであるのなら、この点を曖昧なままにすることはできない。

たしかにヴァイオレット・エヴァーガーデンが求めた「愛してる」の機能について、私たちは知ることができた。それは傷を通じて、二者関係を再制作する。だが、これまでの人類が「ラブ」についてどのように考えてきたのかを明かすことも必要に思える。そこでこの章では「恋愛」の曖昧さについて、歴史を紐解くことで迫りたい。

まず辿りたいのは「恋愛」という翻訳語が日本で成立する際の混乱だ。

あらためて確認するまでもないように思うかもしれないが、「ラブ」とは英単語「love」を片仮名で記し直しただけの言葉である。日本人は、翻訳不可能で理解し難い概念が日本語圏の外からやってきたとき、それをカタカナで表記することでお茶を濁してしまうことがある。例えば「コンセプト」や「テーマ」などの言葉はかなり曖昧な意味で多くの人に使用されているように僕には感じられる。

もちろん「love」には漢字表記もある。それが「恋愛」だ。これは明治期の日本において数多く作られた翻訳語、つまり「個人（indivisual）」や「芸術（art）」といった言葉と同じように、西洋思想を輸入するために作られたものである。

明治期の日本には、とにかく欧米諸国に追いつかなければならないという強迫観念があった。実際は軍事技術や土木技術において差があっただけなのかもしれないが、当時の人々からすれば近代的な欧米諸国との差がなにに由来するのかはひとつずつ検証しなければ分からない。そこで多様な角度から「技術」を輸入しようとしたのだ。そこでは政治や科学の技術だけでなく、文学や絵画などの技術も同時に取り入れられた。

そうした激動の明治期において「恋愛」もまたひとつの衝撃を伴った事象であったという。日本の翻訳語を研究する柳父章によると、男女が互いに愛し合うということは万葉歌の時代からあったと断りつつ、そこでは「恋」や「愛」、「情」や「色」といった言葉が用いられたのであって、あくまで「恋愛」という言葉はなかったと指摘している。[1] つまり「恋愛」とは輸入品なのだという考えだ。実際に「恋愛」という考え方自体が輸入されたか否かについては肯定、否定の意見があるが、ここでは柳父の研究から考えたい。

柳父によると、日本語の辞書で最初に「恋愛」が登場するのは『仏和辞林』の1887年版だという。[2] そこではフランス語の「amour」の訳語として「恋愛。鍾愛。好愛。愛。愛セラル、所ノ者」が挙げられた。

また柳父は、1890年（明治23年）10月、近代化する日本において女性教育のために発行された『女学雑誌』で巌本善治が発表した『谷間の姫百合』という翻訳小説について論じた文章を注目している（巌本はこの雑誌の編集も行っていた）。現代の感覚からすると少し読みにくいとは思うので、読み飛ばしていただいても構わないが、以下である。

> 訳本を評するには文章の外か言ふべき所あらず。更に一事の感服する所ろ及び承知しがたき所ろを挙れば，訳者がラーブ（恋愛）の情を最とも清く正しく訳出し、此の不潔の連感（アッソシエーション）に富める日本通俗の文字を、甚はだ潔ぎよく使用せられたるの手ぎはにあり。例せば、
>
> 　私の命は其恋で今まで持て、居ります。恋は私の命ちで私に取りても此外には何の楽も願もありませぬ。……あなたは実に男一人の腸を寸々にしました。一生を形なしにしました。
>
> の如き、英語にては“You have ruined my life”など云ふ極めて適当の文字あれど、日本の男子が女性に恋愛するはホンノ皮肉の外にて、深く魂（ソウル）より愛するなどの事なく、随つてかゝる文字を最も厳粛に使用したる遺伝少なし。[3]

ここで巌本は「ラーブ（恋愛）」を、日本において既に存在する「恋」のような「不潔の連感に富める日本通俗の文字」とは異なるのだとしている。「不潔の連感」としての「恋」とは異なり、「深く魂（ソウル）より愛する」ものとしての「ラーブ（恋愛）」。巌本は、魂

から愛するような、価値が高く、上等な営みとしての「恋愛」を真正面から肯定した。

日本における「恋」と舶来の「love（恋愛）」の差異という点で、柳父は、中世の騎士道恋愛を紹介している。それは『アーサー王と円卓の騎士』だ。「アーサー王」や「円卓の騎士」はアニメやゲームなどにも登場するので、イメージしやすいのではないだろうか。こうした物語は「romance（ロマンス）」と呼ばれる物語で、柳父は「ロマンス」について「love と大変近いことば」だと述べている。ここで言及されているのは中世の南仏における宮廷恋愛と、これに基づく騎士道恋愛を踏まえたロマンス／ロマンティックと呼ばれる17世紀のイギリス文学である。

騎士道恋愛とはあくまで精神的な愛のことで、性愛や肉欲からは遠く隔てられた「love」を扱うものだ。騎士は、荘厳な城に住む姫を残して冒険に出る。そして凶悪な敵や怪物と出会って決闘になり、これを薙ぎ倒し、その冒険を通じて女性への愛と忠誠を表現する。「騎士はお姫様の住む城から冒険に旅立つのであり、こうして遠い彼方の女性というものをあえてつくりだすのである」。騎士道恋愛とは、最終的にセックスや婚姻につながるような恋愛ではなく、肉体的な接触から離れたところで命を賭して忠誠を誓うような、精神的な愛なのだ。

しかしだからこそ騎士道恋愛は絶望的な恋愛とも言える。なぜならこの恋愛は、肉体的な満足に至ることがないのだ。それは近代化以前の日本における「色」や「情」の世界とは徹底的に異なるものである。

騎士道恋愛は身分を超えた恋愛だ。騎士は、自分よりも地位の高い女性、領主の妻と恋愛をする。それは禁止された恋愛だ。もしも騎士と姫が性愛に耽っていることがバレでもしたら、即刻処刑されかねない。だからこそ騎士は精神的な愛にとどまる。それは「深く魂（ソウル）より愛する」ような恋愛である。柳父はこうした「恋愛」は日本にはなかったとして、「恋愛」輸入説を強調する。[4]

だが、当時の日本人がこうした騎士道恋愛に触れたとして、その文脈をどの程度理解できるのかは謎である。日本列島という土地に数千年の歴史があり、それによって文化が形作られたのと同じように、西洋にも数千年の歴史と文化がある。そうした背景文脈の理解と、言葉としての観念の輸入を同時に実現しようとするのはかなり困難だ。

しかし明治期に人々は「恋愛」という考えに衝撃を受け続ける。1892年2月に発行された『女学雑誌』には、詩人の北村透谷による「厭世詩家と女性」が掲載された。その書き出しは以下のようなものである。

恋愛は人生の秘鑰（ひやく）なり、恋愛ありて後（のち）人世あり、恋愛を抽（ぬ）き去り

たらむには人生何の色味かあらむ、[5]

恋愛があり、その後で人の世がある。恋愛を抜き去ったら人生に色はない。徹底的な恋愛の肯定だ。木下尚江が「この一句はまさに大砲をぶちこまれた様なものであった」と証言しているように、この論文は明治期の詩人や小説家たちにも大きな衝撃を与えたという。そしてその後も『女学雑誌』で文章を発表した透谷は、急速に「恋愛」を観念として純化していく。「恋愛は凡ての愛情の初めなり」とさえ述べ、「親子」「朋友」「上天」への愛すらも「恋愛」によって根拠付けようとする。こうした情熱を前にした柳父は、透谷が考える「恋愛」は「love」から遠い観念となったのだと述べる。しかしそれは本当なのだろうか。

柳父は、愛山生と名乗る著者の巌本善治が1890年11月の『女学雑誌』に発表した「恋愛の哲学」に対して困惑を示した。以下に巌本のテクストを引用しよう。

嗚呼（ああ）人の心霊と身体とに革命を行ふ恋愛よ。趣味想像の新しき境域を開拓する恋愛よ。英雄を作り豪傑を作る恋愛よ。家を結び国を固むる恋愛よ。余は大（おおい）なる詩人出で、爾（なんじ）を書き誤（あやま）りし幾多の小家族を瞠若（どうじゃく）たらしめんことを望む。[6]

巌本によれば、恋愛とは、心と身体を革命して、趣味想像の新しい領域を開拓し、英雄を作り出して、国を盤石にするのだという。このテクストに対して、柳父は「論理はもちろん飛躍している。いったいこの人は「恋愛」を何のことと思っていたのだろうか」と困惑を露わにする。そして、こうした飛躍は「一般に新しい翻訳語をめぐって起きる反応と共通である」と結論づける。もはやドン引きと言ってしまっても良いような反応だ。

しかし巌本によるこうした記述は、むしろ的を得たものと考えることもできる。それは、明治期にあって女性教育に尽力し、男女平等を唱えていた巌本が、そもそもキリスト教徒であったことから捉えてみることによって、である。

「love」の諸相

キリスト教は「愛の宗教」とも呼ばれる。しかしそこで前提とされるのは人間同士の愛ではなく、人間と神のあいだにある愛だ。この愛は「アガペー」と呼ばれるもので、肉体的な欲望を伴った愛である「エロス」とは異なる。

実際、聖書には以下のような記述もある。

> あなたがたも聞いているとおり、『姦淫するな』と命じられている。しかし、わたしは言っておく。みだらな思いで他人の妻を見る者はだれでも、すでに心の中で

姦淫を犯したのである。もし、右の目があなたをつまずかせるなら、えぐり出して捨ててしまいなさい。体の一部がなくなっても、全身がゲヘナに投げ込まれない方がましである。[7]

キリスト教において性欲は罪だ。それも「みだらな思いで他人の妻を見る」ことが、そのまま「その女を犯した」ことになり、そして「右の目をえぐり出す」ことが推奨される程度には。許されるのは子どもを作るためのセックスだけである。それ以外は基本的にすべての性的な事象が罪だった。

アガペーはある種の隣人愛であり、敵すらも愛で包むような神の究極的な愛を試みることなのだ。『マタイ福音書』によれば、「神は、善なる者にも、悪なる者にも、変わることなく、太陽の光の恵みを与えてくださる」のである。こうして「ラブ」という言葉が、それぞれの文脈によって、多様な意味へとひらかれた豊かさと錯乱を持つことが認められる。

しかしだからこそ翻って、透谷が「恋愛は凡ての愛情の初めなり」と述べて、「親子」「朋友」「上天」への愛すらも「恋愛」によって根拠付けようとしたとき、透谷の「恋愛」はボーイミーツガールを描く恋愛映画などの「恋愛」のニュアンスを超えて、アガペーへと近づいているようにも感じられる。

略奪としての「love」

しかしこうして騎士道恋愛やアガペーについてだけ述べると、西洋の恋愛がとても禁欲的なものに映るかもしれない。だが、決してそうではない。例えば古代ローマの詩人であるオウィディウスは『恋愛指南』という書物で「キスの仕方」について以下のように述べているが、それは現代の私たちから見るとかなり暴力的な行為に思える。

> 女が接吻を与えてくれなかったら、与えられないものは、奪ったらよかろう。はじめのうちはきっと抗って「失礼な人ね」と言うだろう。だが抗いながらも、女は征服されることを望んでいるのだ。[8]

かなり一方的である。キスをさせてくれないなら無理やりすれば良いし、最初は嫌がる相手も実はそうされることを望んでいるのだと言うのだ。最悪である。もちろん、そんなことは現代においては許されない。

主に3巻から成り立つ本書は、男性と女性が異性を魅了するための技術や戦術を教えるために書かれたものである。最初の2巻では男性向けの、3巻目では女性向けの技術が論じられた。そのなかにはラブレターに関する記述も見られるが、基本的に女性にのみ向けられたものであり、古代ローマにおいて男性が異性にラブレターを書くことが一般的でなかったことが伺える。そうした点でも、この時代の恋愛は非対称なものであった。

またルネサンス期の芸術家たちが絵画や彫刻として繰り返し制作した主題に「サビニの女たちの略奪」がある。この主題は古代ローマにおいてなされたとする国家レベルの「rape（略奪と強姦）」を扱うものだ。当時、女性が少なかったローマは国を維持するために、隣国であるサビニへと侵攻した。それはローマ人の勇敢さを示すエピソードとして語り継がれたというが、肉欲に溢れた暴力的で略奪的な性愛だ。古代ローマにおけるこうした略奪的で肉欲的な感覚は、女神ヴィーナスや酒の神バッカスへの信仰などにも見られる。

オウィディウスの『恋愛指南』、そして「サビニの女たちの略奪」のような古代ローマの男女関係は決して対等なものではなく、むしろ「奪う」ことに特徴付けられるものだった。それは現代の倫理だけでなく、キリスト教のアガペーとも、中世の騎士道恋愛とも大きく異なるものだ。

ここで確認したかったのは、西洋から日本へと「love（恋愛）」が輸入されようとしながら、その試みが直面した困難である。当時の人々も「love」というのがこれまでの日本における「恋」や「愛」、「色」や「情」とは違うものらしいぞ、と気がついていた。しかしそれを理解するにはたんに辞書に頼るだけでは足りず、その言葉が歴史の変化に晒されながら様々な意味で使われることを知らねばならない。だが、古代ローマの略奪的な愛とキリスト教のアガペー、そして騎士道恋愛ですら「love」の多様性の一部に過ぎないのだ。それらを並列しながら「恋愛」という一語においてすべてをまとめて受け止めるのはなかなか難しいだろう。

これは「恋愛」の輸入に限らず、異なる歴史を持つ文化と出会うときに常に生じる問題である。実際、中国においても「love」という言葉の受容において困難があったことが報告されている。[9]だからこそ現在に至った「恋愛」という言葉がひとつの意味だけ持つと言うことは難しい。しかしこうした歴史を踏まえると、恋文横丁で代筆屋を営んでいた菅谷篤二が、ラブレターの目的として「結婚」「金」「純粋のラブ」を羅列することを要請されたのも頷ける。ある面では、ラブレターを書くことは、多様な「love（恋愛）」からひとつのあり方を選ぶことを意味するのかもしれない。

だがそれでも「恋愛」という言葉はひとつのイメージを私たちのなかに喚起することは否めないだろう。それはお姫様への忠誠心や神への愛ですらない。私たちが幼少期からテレビや映画、雑誌や漫画で見た、あのキラキラしたエフェクトにつつまれた淡い色彩。「キュン」とか「ドキッ」という心の微振動と共に表現される心情。

それはなんなのだろう？　「恋愛」と聞いたときに、私たちの胸中を過ぎる恋愛のイメージを摑むためには、もうひとつの恋愛観について考える必要がある。

4-2　ロマン主義的恋愛

ロマンティック・ラブ・イデオロギーという言葉がある。恋愛とセックスと生殖（子どもをつくる／産むこと）が、結婚を媒介として一体となることを理想にする考え方だ。[10]またイデオロギーとは、ある社会集団が共有する「作られた思想の体系」を意味する言葉である。近代化以降の社会では「恋愛／セックス／生殖」が結婚を通じて三位一体となるのだとするイデオロギーが流通した。

このイデオロギーは一夫一婦制（モノガミー）を前提とした恋愛結婚を理想に置く。つまり同性愛やポリアモリー、見合い結婚や政略結婚ではなく、男女間でなされる自由な恋愛が最終的に結婚というゴールへと向かうと考えるものだ。そうした考え方は批判もされている。だが古代ローマにおける略奪や強姦に比べれば、今日の社会を生きる私たちにとってまだ理解しやすい恋愛観だ（もちろん、このイデオロギーに合意するか否かは別である）。

難しいことを言う前に言葉の質感から考えてみよう。

まず一度「ロマンティック」という言葉からひとつの情景を想像してみてほしい。僕の知人に聞いてみると似たような情景について話してくれた。星空の前にたたずむカップル、やさしい接吻、誰もいない公園でイルミネーションを見上げる……などなど、ステレオタイプな異性愛、そのデートの情景である。

この節では、まずロマンティック・ラブの源流を知るために、現在に至るまでのヨーロッパにおいて大きな影響力を持つロマン主義の歴史を概観したい。

ロマン主義について

まず言葉上の類似に対して、ロマンティック・ラブ・イデオロギーは、「ロマン主義的な恋愛」とはかなり異なる理想を持っている。この点を確認した上で議論に入りたいのだが、ロマン主義はかなり大きな枠組みなので、細かく見ていくといくらでも反証できてしまい、最終的になにも捉えられなくなってしまう。しかしそうして時代や地域を超えて拡散した概念や思想は、私たちの考え方にも知らずのうちに大きな影響を与えているものだ。

試しに「ロマン主義（romanticism）」について「アートスケープ」という美術系ウェブメディアの辞書「アートワード」で調べてみると以下のように記されている。

18世紀末から19世紀前半の西欧で勃興した芸術思想、あるいはその系譜に連ねられる作家や作品を総体的に名指す言葉。ロマン主義と呼ばれる傾向や運動は、絵画のみならず哲学・文学・音楽・批評などさまざまな分野に見られる曖昧な名称であるが、その多くには個性の称揚や規範への抵抗といった一定の共通要素も見られる。[11]

なるほど、まず「個性の称揚や規範への抵抗」が共通要素とのことだ。しかし「18世紀末から19世紀前半の西欧」というのは時代的にも地域的にも範囲が広いし、「絵画のみならず哲学・文学・音楽・批評」というのは文化・学問領域としても際限がない。とりあえず続きを見てみよう。

もともとロマン主義とは、啓蒙期のヨーロッパにおける知性や合理性への信仰に対して、感情や非合理性を称揚する態度を指して用いられるようになった言葉である。この用法そのものは、18世紀末から19世紀初頭にかけてのフリードリヒ・シュレーゲルの著作に由来している。シュレーゲルは、形式的な古典主義文学とは異なる想像力豊かな文学を、かつての俗ラテン語（民衆語）であるロマンス語に仮託して「ロマン主義」と呼んだ。[12]

まず「知性や合理性への信仰に対して、感情や非合理性を称揚する」というのは先ほどの「個人の称揚や規範への抵抗」とほとんど同じ意味として捉えていいだろう。そして「ロマン主義（romantisim）」というのが、「ローマ（Roma）」というより、民衆の用いる「ロマンス語（Romance languages）」に由来するという。そうであるのなら個人の称揚、規範への抵抗というのも腑に落ちる。

ただ注意してほしいのだが、これは大雑把な理解だ。しかしこうしてみると「ロマン主義」が大まかに捉えられるのではないだろうか。ロマン主義は啓蒙主義や古典主義などの、それまでの思想や秩序に抗する思想、文化で、そしてそれは国境を越えてヨーロッパ全域に広がっていったものである、と。より詳細に理解したい方は、専門書に向かっていただけたら幸いだ。

そして啓蒙主義とロマン主義の転換点に立つ人物が、18世紀を生きたジャン＝ジャック・ルソーだ。彼は啓蒙主義の作家、哲学者として捉えられると同時に、『告白』における「私」の内面描写、あるいは『新エロイーズ』や『孤独な散歩者の夢想』などの探求を通じてロマン主義の先駆けとなった作家とも言われる。つまりルソーは二つの思想的な潮流のあいだに立っていた。大きなパラダイムが変化する最中で多様な作品を残したからこそ、ルソーは今日においても繰り返し再考される作家、思想家なのである。

ルソーが生きた時代と前後して、ヨーロッパでは絶対王政、つまり封建社会の矛盾が頂点に達することで次々と市民革命が起こった。言ってしまえば、それまでの政治体制にはもう耐えられないということで、市民による革命が起きたのだ。例えば最も有名なフランス革命では、封建的特権の廃止、人権宣言、王政廃止などを実現し、共和政を立ち上げた。そうして圧政から民衆が解放されることで封建的な秩序が崩れていったのだ。しかし今度は軍事政権が現れて恐怖政治を強いるなど、なかなか「市民が中心になった社会」へと一直線に向かうことはできなかったのだが、それでも市民革命は西洋社会を大きく変化させることになる。

例えば、それまでは自分の生まれによって自動的に職業が決められていたので、貴族に生まれれば一生貴族として、農民であれば農民として生きることが強いられていた。もちろん結婚相手も身分によって決まっていた。だがヨーロッパの各国で起きた市民革命によってそうした秩序は崩れていく。むしろ時代が代わって職業や結婚相手も自分で決めなくてはならなくなったのだ。ロマン主義はそうした個人主義の流れに従ってヨーロッパ全域に広まっていった。もちろん国によって事情は異なるが、基本的にはそうした流れで捉えて大きな問題はないだろう。

こうして人々は「個人」としてそれぞれに人生を選択しながら生存する権利を持つ市民

となった。つまり革命を通じて、市民という人権を持つ個人の出現と同時に広まった潮流がロマン主義なのだ。

そしてこれはよく指摘されることだが、日本は、革命をせずに西洋文化を輸入することで近代化したので「個人」や「社会」、「自由」といった概念を身をもって理解することが難しいのだと言われたりする。それは柄谷行人の『日本近代文学の起源』、北澤憲昭の『眼の神殿』などで細かに論じられている。本書の議論と関係づけて要点だけ言ってしまえば、「個人」や「自由」という概念はロマン主義以降の、つまり今日の「恋愛」観にも大きな影響をもたらしたのである。

この時代の恋愛の特異性を示すものとして、ロマン主義文学を代表するヴィクトル・ユーゴーが1862年に刊行した『レ・ミゼラブル』を見てみたい。今日に至るまで演劇や映画などで繰り返し作り直されている歴史的な作品だ。なかでも注目したいのは、以下の記述である。

宇宙をただひとりに縮め、ただひとりを神にまでひろげること、それがすなわち愛である。[13]

かなり衝撃的な描写だ。人間の世界が、恋愛を介して宗教的な領域を食い破り、既存の世界を超え出ていく瞬間を描いている。こうした状況に至っては、もはや愛する人の存在は神秘的な輝きに包まれ、そして文字通りに「ただひとりを神にまでひろげる」。こうして恋人が世界の中心になるような人生最大のイベントこそが、ロマン主義における恋愛なのだ。それは市民革命と個人主義が社会を動かしたからこそ要請された考え方である。本当の自分を解放する瞬間を恋愛、愛する存在に求めるところに、こうした文学の歴史的な特徴があるのだ。恋愛において、私たちの人生における偶然の出会いは、そこに現れるたった一人の特別な存在は、世界の中心それ自体へと移行する。そして愛する存在は、もはや全世界そのものとして「私」の前に現れるのだ。

文学研究者の鈴木隆美によれば、ユーゴーがしたような記述は、中世になされたのなら「不遜極まりない」ものであり「神の神聖な領域と世俗の人間間の恋愛を混同する、間違ったヴィジョン」だという。「しかし革命を経て、この混同が、今度は流行の、さらには「普通」の考え方になって」いった。[14] こうして「ユーゴーにあっては、恋人という「星」に「天使が挨拶」するのです。恋愛とキリスト教がオーバーラップし、恋愛には救済の次元がしっかりと付与されることに」なる。[15] 鈴木の著作は恋愛の歴史を概観するのに大いに役立つし、本章の執筆においても参考にさせていただいたので興味のある方は手に取ってほしい。

恋愛の結晶作用

こうしたヴィジョンをより理論的に記したものとして、小説家・スタンダールが1822年に刊行した『恋愛論』がある。彼は「恋愛とは何か?」という問いに対して「恋愛とは結晶作用である」というシンプルな定義を提示した。

スタンダールによると、恋愛は「感嘆、自問、希望、恋の発生、第一の結晶作用、疑惑、第二の結晶作用」のつの過程をたどる。結晶化には二段階ある。

第一の結晶作用とは、恋愛を通じて、もはや天上の幸福と呼べるまでの「無限の快」に包まれ、「自分を愛していると自信がもてるとき、その女を、千の美点で飾るのを喜ぶ」ような段階である。[16] 愛する人を言葉で褒めそやすとき、快に包まれるのだが、それこそが結晶作用の第一段階である。

第二の結晶作用において、人は、恋人が実は自分を愛していないのではないか? という疑惑に包まれる。[17] それは先ほどの引用でユーゴーが描いたような、人を窒息させるような「愛の欠如」だ。第二の段階について、スタンダールは「始終愛されるか死ぬかという問題と顔をつき合わせている」のだと言う。[18]

言い換えれば結晶作用において第一のものは「信じること」であり、第二のものは「疑うこと」である。この往復こそが、私たちの恋愛を成立させるのだと彼は述べた。

しかしスタンダールが示す結晶作用は、実際は主体の内側で生じているだけの幻想であるとも言えるだろう。あくまでロマン主義にとって重要な責務は、恋愛に与えられた新たな地位の体現である。それは近代の個人主義の称揚を全力で受け止め、それぞれの人生を肯定する。

またここで引用した限りでの、ユーゴーやスタンダールが示す恋愛、つまり「信じること」と「疑うこと」の往復のなかで愛する存在が神の領域まで拡張するような結晶作用は、ゼロ年代の日本で「セカイ系」と呼ばれた物語様式とも似ている。それは新海誠によるアニメーション『ほしのこえ』、高橋しんの漫画『最終兵器彼女』などだ。

まずはここまで、ロマン主義の成立と、ロマン主義的恋愛がどのような恋愛観を持つのかについて概観してきた。それは市民革命と個人主義に基づいた近代的な個人による恋愛だ。

しかし、そもそも僕にとってのロマン主義は、ある種の逸脱の思想でもある。それは理性的な合理性の世界に対して、感情的な非合理性で立ち向かう態度であり、世界への純粋な驚きに満ちたものなのだ。愛する存在は世界や神へと拡張され、私たちの精神を結晶化して輝かせる……だがそれはあくまで西洋において局所的に生じた潮流に過ぎない。もちろん日本をはじめとした諸外国への影響はあるが、それは西洋社会において、革命すべき階級、対抗すべき思想があってはじめて地に足がついたことも忘れてはならない。

また、ある時点のロマン主義は反結婚を求める反社会的思想でもあった。だからロマン主義は、ロマンティック・ラブ・イデオロギーという、「恋愛・セックス・生殖」を結婚において一体化させようとする思想とは異なるのだ。結果から述べて、ロマン主義の世界を抑圧しながら、社会を安定させるために取り込んで回収した恋愛観がロマンティック・ラブ・イデオロギーなのだが……続く節で、この入り組んだ事情について考えたいと思う。

4-3 ロマンティック・ラブ・イデオロギー

市民革命を通じて近代に至った西洋では、それまで権力を持っていた貴族階級に代わり、ブルジョアジーが台頭することとなる。それはヨーロッパ全域へのロマン主義思想、恋愛観の広まりと同時期の出来事だ。ブルジョワジーとは、市民革命の主体であると同時に、資本主義社会における資本家のことであり、プロレタリアート（賃金労働者）を従える社会階級を指す言葉である。

まず端的な事実から確認したい。フェミニズムや社会学など、あらゆる領域で指摘されていることだが、近代以前の社会では「恋愛・セックス・生殖」はそれぞれに独立しており、ましてやそれらが結婚を通じて媒介されてなどいなかった。むしろ西洋においては法や宗教において、それらは分離されていたとすら言える。だからこそロマン主義的恋愛は近代社会、あるいは新しく力をもったブルジョアジーにとっての脅威でもあった。なぜなら、結婚にふさわしくない相手（既婚者、同性、身分違いなど）に恋愛感情を持ってしまえば「階級秩序」を乱すことになり、夫婦以外の人に恋愛感情を持てば「家族的秩序」を乱すことになるからだ。[19] つまりロマン主義的恋愛は、社会の秩序を乱す可能性を秘めている。

そこで近代社会は、秩序維持のために3つの戦略を用意した。第一は恋愛と結婚を分離し、結婚は結婚として維持しながら、近代以前のように愛人などを作ることで恋愛をする方法だ。第二に、宗教の力を用いて恋愛を抑制する方法も思案された。そして第三に、本来結婚と対立する恋愛を、結婚と強く結びつけて「結婚相手にふさわしい相手に抱く感情」こそが「恋愛」とする方法、つまりロマンティック・ラブ・イデオロギーが考案される。結果的には第三の道が脚光を浴びることになるのだが、これらの戦略は、どれも恋愛ではなく結婚という制度によって最終的に家族を作らせ、社会を安定させようとする点では共通している。[20]

こうしてロマンティック・ラブ・イデオロギーは、ロマン主義的な自由をある程度抑圧しながら回収することに成功した。そしてこの恋愛観はハリウッド映画やディズニーアニメ、ポピュラーミュージックなどを通じて世界中に広がっていくこととなる。日本においても、戦前は70％近くが見合い結婚だったのに対して、戦後の高度経済成長期には恋愛結婚と拮抗、現在は完全に割合が逆転して殆どの結婚が恋愛に基づくものになっている。[21]

だが、先に指摘したようにロマンティック・ラブ・イデオロギーは、一夫一婦制（モノガミー）を前提とする上に、恋愛結婚を理想に置く。つまり異性愛規範における恋愛を踏まえた結婚をゴールに置くという点で現代の倫理にはそぐわない部分もある。そのためこうした数字や統計自体が、マイノリティを含む人々の生き方を軽んじる危険性は免れ得ない。

フェミニズム批評を牽引してきた竹村和子は主著『愛について』において、「〔ヘテロ〕セクシズム」という概念を導入している。これは異性愛規範（ヘテロ・ノーマティヴィティ）と性差別（セクシズム）の二つを両輪として標榜される「正しいセクシュアリティ」を指し示す概念として考案された。竹村が〔ヘテロ〕セクシズムという異性愛規範と性差別によって明かすのは、二重に沈黙させられた「女性の同性愛」である。

「正しいセクシュアリティ」とは、終身的な単婚（モノガミー）を前提として、社会でヘゲモニーを得ている階級を再生産する家庭内のセクシュアリティである。「正しいセクシュアリティ」は「次代再生産」を目標とするがゆえに、男の精子と女の卵子・子宮を必須の条件とする性器中心の生殖セクシュアリティを特権化する。[22]

続けて竹村は、「正しいセクシュアリティ」が「合法的な異性愛を特権化し、婚外子の差別や、離婚・再婚の制限をもたらした」のだと指摘する。そうした〔ヘテロ〕セクシズムは、まさにロマンティック・ラブ・イデオロギーの浸透と時を同じくして広まったものだ。

一九世紀末から二〇世紀初頭にかけてのセクソロジーの隆盛とともに、同性愛差別が大規模に開始されたと言われている。だが女の同性愛の場合は、異性愛主義によって一枚岩的に抑圧・禁止されたわけではない。異性愛主義と性差別という二つの言語をもつ〔ヘテロ〕セクシズムのイデオロギーは、数少ない自己表現の場（酒場であれ、上流階級のサークルであれ、文学表象であれ）を模索しはじめていたレズビアンの試みを巧みに取り込み、欲望と個体化、セクシュアリティ配置とジェンダー配置、レズビアン・エロスの禁止と搾取の両方を都合よく行き来しながら、女の同性愛の表出を二重、三重にも封じ込めていったのである。[23]

女性の同性愛は、まず同性愛差別によって禁止される。それだけなら男性の同性愛と同じ問題だが（それも問題だが）、女性の場合はさらにセクシズムによって、つまり男性中心主義によって、同性愛の人々の試みが搾取されていったのだという。この禁止と搾取こそが〔ヘテロ〕セクシズムだ。

もちろん先行する研究によって、社会に生きる人々が、規範化されたジェンダーやセクシュアリティ、性器的性といった分類だけで相対化しきれないことはレズビアンに限らず明らかになっている。

また現在の社会には、それぞれの性的指向や性自認に関わらず、ポリアモリー（合意を前提に複数のパートナーと関係を結ぶこと）を実践する人々もいる。[24]

命がけの戦いを通じて、恋愛（ここではあえて本章において明かされた「love（恋愛）」の広範な意味に賭けてこの言葉を使用する）を、新たな局面へとひらき、組み直そうとした人々がいた。それも数千年の、そして世界各地に。そうした恋愛史が人類の歴史でもあるのだ。ここまで確認してきたように、古代ローマの恋愛と騎士道恋愛、ロマン主義の恋愛、ロマンティック・ラブ・イデオロギー、そして女性の同性愛など、それぞれの「恋愛」はまったく異なるものである。

こうして明らかになるのは「恋愛の起源」を措定することの困難だ。時代や地域によって「恋愛」の定義は変わるのだし、そうして移り行く価値観のなかで、それぞれの二者関係を大切にしようとする勇気こそが「love（恋愛）」である。

そうであるなら、来るべき社会においては私たちは、見たこともない恋愛をする人々を見ることになるのだろう。それは疑いようもないことである。

つまりロマンティック・ラブ・イデオロギーは、ついに人類がたどり着いた最終的な恋愛の枠組みではない。ここで僕が述べているのは、「幸福な恋愛の目的が結婚ではない」のと同じように、「幸福な結婚の理由が恋愛」であると限らないことも同時に意味するような考えだ。

恋愛の目的に結婚を置く考え方は、すでに衰退し始めているところもあるようだが、「幸福な結婚の理由が恋愛」であるというイデオロギーはいまだに強固であるらしい。[25] しかしここまで見てきたように、恋愛における正しさは、時代や地域によって大きく異なる。だからこそ結婚という枠組みが必要とされ続けるのだとしても、そこで要請される正しさや幸福はいくらでも検討を重ねなければならない。

繰り返すようだが、最後に僕が留保を設けたいのは、それでも未来において「love（恋愛）」が、そして二者関係が消滅するとは思えないということだ。ここまでの議論を踏まえれば、「恋愛」とは、エロスであり、アガペーであり、略奪であり、禁欲、神の領域まで拡張しただ一人によって結晶化させられた精神、あるいは隣人や兄弟、姉妹への慈悲である。多様な性的指向、性自認の人々もそれぞれに可能な「love（恋愛）」を実践している。おそらく近いうちに人工知能も「恋愛」を知るだろう。

そこにセックスや結婚があるか否かはもちろん問題ではない（もはや話を分かりやすくするために「愛」と言ってしまってもいいのだが、今後引用する議論のためにも「恋愛」という言葉を使用する）。

それでも「love（恋愛）」とは、双方向的に関わり合う二人が互いに形作られ、互いを形作ろうとする、そんな不思議な魅惑に満ちたものであることくらいは確認できたのではないだろうか。恋愛は、それまであった世界の形を変えてしまうと同時に、それまでの世界が形を変えるたびに異なる姿で現れる天使のような存在だ。それは人と人のあいだで、その人のあり方を根底から変える。

そうであるのなら、異性愛規範や性差別、つまり〔ヘテロ〕セクシズムへと陥る危険性に最大限の注意を払いながら……私たちは「恋愛をする／恋愛における二人の世界」、つまり「恋人たちの共同体」について考えたいと思う。

注釈

1 柳父章『翻訳語成立事情』岩波新書、1986年、89頁。
2 同書、95頁。
3 同書、90頁。
4 同書、92 - 93頁。
5 北村透谷「厭世詩家と女性」青空文庫（https://www.aozora.gr.jp/cards/000157/files/45237_19755.html、最終アクセス2023年7月31日）。
6 柳父章『翻訳語成立事情』98頁。
7 「マタイによる福音書」『聖書　聖書協会共同訳―旧約聖書続編付き』日本聖書協会、2018年、5章27 - 29節
8 オウィディウス『恋愛指南―アルス・アマトリア』沓掛良彦訳、岩波文庫、2008年、46頁。
9 張競『恋の中国文明史』ちくまライブラリー、1993年。
10 千田有紀『日本近代家族―どこから来てどこへ行くのか』勁草書房、2011年。
11 星野太「ロマン主義」『アートスケープ：アートワード』（https://artscape.jp/artword/index.php/%E3%83%AD%E3%83%9E%E3%83%B3%E4%B8%BB%E7%BE%A9、最終アクセス2023年7月31日）
12 同書。
13 ユーゴー『レ・ミゼラブル（三）』豊島与志雄訳、岩波文庫、1987年、346頁。
14 鈴木隆美『恋愛制度、束縛の2500年史―古代ギリシャ・ローマから現代まで』光文社新書、2018年、198頁。
15 同書、202頁。
16 スタンダール『恋愛論』大岡昇平訳、新潮文庫、1970年、14頁。
17 同書、18頁。
18 同書、20頁。
19 棚沢直子、草野いづみ『フランスには、なぜ恋愛スキャンダルがないのか？』はまの出版、1995年、129頁。
20 山田昌弘『近代家族のゆくえ―家族と愛情のパラドックス』新曜社、1994年。
21 『2021年社会保障・人口問題基本調査（結婚と出産に関する全国調査　現代日本の結婚と出産―第16回出生動向

基本調査』国立社会保障・人口問題研究所、２０２３年（https://www.ipss.go.jp/ps-doukou/j/doukou16/JNFS16gaiyo.pdf　最終アクセス２０２３年7月31日）

22 竹村和子『愛について――アイデンティティと欲望の政治学』岩波現代文庫、２０２１年、40頁。

23 同書、78頁。

24 深海菊絵『ポリアモリー――複数の愛を生きる』平凡社新書、２０１５年。

25 谷本奈穂「ロマンティック・ラブ・イデオロギーというゾンビ」『現代思想　特集＝〈恋愛〉の現在――変わりゆく親密さのかたち』青土社、２０２１年9月号。本節におけるロマンティック・ラブ・イデオロギーの定義についてはこの論文に負うところが多い。

第五章　『魔法使いの弟子』

5-1　バタイユの恋愛論

これから私たちは「恋人たちの共同体」という概念へと、前章で拡散させた「love（恋愛）」と同じように〔ヘテロ〕セクシズムに制限せずに接近したいと思う。これは暴挙かもしれないし、どんな瑣末なことであっても批判があれば受け入れ、適宜再考したいと思う。だがそれでも、ひとつの賭けとして、過去に書かれたひとつの魔術的テクストの読解を試みる。そこに紡がれた言葉を通じて、いくつか他からの引用と織り合わせながら「恋人たちの共同体」を考える。

だがこれは学術的な文献読解ではない。その魔術的なテクストの、そこにある祈りと呪いに従いながら私たちの思考を痙攣させることが目的だ。

それは多彩な文筆活動を展開したジョルジュ・バタイユが遺した『魔法使いの弟子』と

いう一篇の短いテクストである。彼の恋愛論とされるテクストだ。

１８９７年に生まれたバタイユは二度の世界大戦を経験した。激動の時代を生きたバタイユは、思想書に留まらず、小説や詩の執筆、複数の雑誌の立ち上げと編集、そして政治活動から秘密結社の組織までを行った、思考し、行動する人物である。一連の活動のために彼は哲学、経済学、民族学、民族誌学、考古学、物理学、生物学、美術史学、精神分析学、文学などの様々な領域を横断しながら思考を続けた[1]。周囲にはロジェ・カイヨワ、岡本太郎、クロソフスキー、サルトルなどの名だたる知識人がいた。１９６２年7月８日に亡くなっている。

生涯を通じて様々な出会いと離別を繰り返した彼の職業は、大学教授などではなく図書館司書である。だが鮮烈で感染的なバタイユの思想と表現は、後世に大きな影響をもたらした。紛れもなく20世紀において最も重要な人物のひとりだ。

そんなバタイユは二度の世界大戦の前後を生き抜いた経験から、理想的な共同体のあり方を考えた。そこで彼が考えた共同体のモデルのなかに「恋人たち」がある。彼の共同体理論は、ジャン=リュック・ナンシーやモーリス・ブランショ、ジャック・デリダといった哲学者や作家が相互に批判し合いながら深めた点で、すでに歴史的な価値を認められたものだ。その上で、「ラブレターの書き方」を主題とした本書のなかで改めて読み直してみたいと思う。

『魔法使いの弟子』という14の断章からなるテクストは、１９３８年7月1日号の『新フランス評論』で発表されたものだ。彼は前年にミシェル・レリス、ロジェ・カイヨワと共に「社会学研究会」を立ち上げており、この号の『新フランス評論』の特集は「社会学研究会のために」というものだった。その研究会の方針を示すために書かれたであろうこのテクストは、あくまで論証的だが錯乱してもいる。

この時期のバタイユは激しい恋愛の最中にいた。その相手はロールと呼ばれる女性で、当時は結核に苦しんでおり、同年の年末に亡くなってしまっている。[2] ロールの存在はこのテクストに強い影響をもたらした。

しかしそうした伝記的な事実以上に重要なのは、このテクストにおいて「恋人たち」が、当時勢力を強めていたファシズムの脅威に抗する「武器」としても捉えられていることだ。彼は一篇のテクストでもって、民族主義と世界大戦の恐怖に立ち向かったのである。

バタイユの問題設定

まずは『魔法使いの弟子』におけるバタイユの危機意識から確認していこう。

ここで彼は「学者」「芸術家」「政治家」の三者を、人間の総合性を断片化するものとして批判する。その批判は徹底的で、手厳しいものだ。

学問、政治、芸術の向こうには何も存在しなくなっているのだ。学問、政治、芸術は、どれもそれ自体のためにだけ、孤立して生きていかざるをえなくなっている。それぞれが主人を亡くした従者のようなのだ。[3]

芸術家、政治家、学者は、人間に嘘をつく任務を引き受けている。これら実存を支配する人々は、たいがいの場合、誰よりもじょうずに自分に嘘のつける人々なのだ。したがって他人に嘘をつくのが誰よりもうまい。[4]

まず彼が批判するのは学者だ。学者とは「学問の人間」である。

《人間でありたいという欲求を恐怖のために失ってしまった人間》が、自分の最大の希望を学問に託したのである。この人間は、自分の運命を生きたいと欲していたときには行為が**総合性**を帯びていたのだが、学問を選んだときからこの総合性を断念してしまったのだ。[5]

そして芸術家が糾弾される。ここでいう芸術家とは、いわゆる文学と美術の双方を含みもつ「フィクションの人間」だ。

虚偽が画家や作家の職業に関係してくると、さらに一般的に言えば、虚偽が彼らの**自我**に関係してくると、その虚偽はフィクションをもっと強固な現実に役立つようにとそそのかす。それゆえ美術と文学は、自己充足した一世界を形成しない場合には、現実の世界に従属して、教会や国家の栄光を称(たた)えるのに貢献したりする。あるいはこの現実の世界が政教分離のように分裂しているならば、宗教のためにしろ、政治のためにしろ、それぞれの分野で行動と宣伝（プロパガンダ）に貢献したりする。[6]

多くの場合、人間は、人間の運命を、フィクションのなかでしか生きることができずにいる。その一方でフィクションに従事している人間は、自分が描く人間の運命を自分自身全うできないことで苦しんでいる。[7]

もはや芸術家や作家は自分の描くような人物にはなれないまま、フィクションに生きるしかない。

最後に刃が向けられるのは「行動の人間」、政治家である。

彼は同意する。そして徐々に理解していく。行動は、行動したという利点しか自分に残さないだろうということを。彼は、自分の夢想に拠りながら世界を変えようと思っていたのだ。しかしじっさいは、とてつもなく貧しい現実に合わせて自分の夢想を変えてばかりいたのである。[8]

政治家は、フィクションのなかで生きるために自分の夢想を変更し続けるのだ。これに続く節でバタイユは「行動を欲する人に行動が最初に求める断念、それは、自分の夢想を、学問が描き出す規模に縮小するということだ」と述べ、「人間の運命に、フィクションとは違う領域を、たとえば政治の領域を与えたいと思っても、この欲求は、政治の教条主義者たちから軽蔑される」と続けることで、学者、政治家、芸術家が相互に作用することで出口が失われていく現実を静かに示す。

このように三つの断片に分裂してしまった実存など、もう**実存**であることをやめてしまっているのだ。それはもはや芸術か学問か政治にすぎず、実存ではない。[9]

こうしてバタイユによる診断が完了する。彼は失われた実存を嘆く。ではどのような治療が、あるいはどのような迂回路があるだろうか？　そこで彼は「恋人たち」のなかに希望を見出そうとする。

芸術が描き出す心引き裂かれる光景はどれほど激しいものであっても、それに感動した人たちの間に、今日まで、ただのはかない絆(きずな)しか創造できずにきた。［中略］これに対して、恋人たちはきわめて深い沈黙に浸っているときでさえ、心を通わせあっている。[10]

ここでバタイユは、学者、政治家、芸術家などの「断片に分裂してしまった実存」に対抗するものとして「恋人たち」を提示する。恋人たちは「沈黙に浸っているときでさえ」「お互いを再発見し合う世界を創造する」のだ。それは演劇や文学においても失われたものだという。ここから彼は徐々に自らの思想を開陳しはじめる。

有益な労働に身を**捧げる**と、一個の人間存在は自分と自分でないものとに分裂してしまう。このように分裂した人間存在は、誘惑されてはじめて総合的実存を完全な姿で回復できる。この原理をよく表しているのが、あの雄々しい男の性欲だ。[11]

ここで彼は急速に、異性愛規範の恋愛へと突き進んでいる。それは使い古されたロマン主義的な恋愛に思える。だがバタイユはそうした先行する価値観に付き従うような作家ではない。彼は矛盾した世界で、対立する考えや概念のあいだを力強く突き進んで新たな枠組みを示す作家である。だから私たちは、ルソーが啓蒙主義とロマン主義との転換点に立っていたのと同じように、バタイユがそうした転換点に立つ作家であることに賭けて読解を続けたい。

この解体した世界のなかでは、《**愛する存在**(ひと)》こそが、生命の熱へ人を返す美徳を保ち続ける唯一の力になったのだ。もしもこの世界のなかで、互いに求めあう恋人たちの痙攣(けいれん)的な動きの行き来がなくなるのならば、そしてもしも《その顔が見えなくなると心が苦しくなる》、そんな顔がこの世界を輝かしく変容させることがなくなるならば、この世界の眺めは、世界自身が生み出した存在たちを自ら愚弄(ぐろう)する光景になる。[12]

彼はここで一転して、双方向的な恋人たちを描き出す。一方から他方への性欲ではなく「互いに求めあう恋人たちの痙攣的な動き」という表現を通じて、主体と客体が一体化した状況を示すのだ。それこそが「恋人たち」という複数形の主語に託されたものだろう。失われたときには人を苦しめ、そして世界を輝かせる「顔」を生み出す世界。その循環と痙攣のなかで、人々は生命の熱へと還って行く。

一人の人間をその心の奥底で捉えているあの失われたもの、悲劇的なもの、つまり《目をくらませる驚異》は、もはやベッドの上でしか出会えなくなっている。[13]先ほどの「痙攣的な動き」「失われたもの」、あるいは「目をくらませる驚異」はベッドの上でなら今も出会うことができるのだという。ではどのようにして出会うことができるのだろうか。

恋人たちの世界は、存在したいと貪欲に力強く欲する意志に期待どおりに応える**ひとまとまりの偶然**から作られる。[14]

こうしてバタイユが描き出す「恋人たちの世界」は、スタンダールが定式化した恋愛の結晶作用とは異なる。バタイユにとって恋愛のプロセスとは、彼自身の過去の概念を採用してみるなら「変質（alteration）」であり、結果的に現れるのは蜘蛛や痰のような「不定形

（inform）」なのだ。

不定形と変質

まず不定形について述べるとすれば、バタイユは、彼が実質的な編集長を務めた雑誌『ドキュマン』の1929年度第7号の「辞書」の項目に掲載された「不定形の」で端的に示している。

［中略］アカデミックな人間が満足するには、世界が形を帯びる必要があるだろう。すべて哲学というものは、これ以外の目的をもってはいない。つまり、存在するものにフロックコートを、数学的なフロックコートを与えることが重要なのだ。それに対して、世界はなにものにも似ていず不定形に他ならない、と断言することは、世界はなにか蜘蛛や唾のようなものだ、と言うことになるのである。[15]

この短いテクストは、半世紀以上の時を経て、美術史家、美術評論家のイヴ＝アラン・ボワとロザリンド・クラウスを刺激する。二人は1996年にポンピドゥセンターで同名の展覧会を企画し、そしてカタログとしての書籍までを出版した。

そこでは不定形について「下落させるとともに、分類を乱す、という二重の意味での操作」なのだと述べられている。二人は、不定形それ自体がなにものかであるというよりも、あくまで「操作的で行為遂行的（パフォーマティブ）な力」としてこれを扱った。[15] つまり思考や制作の目的というより、終わりなく進行し続ける操作の形式が不定形なのである。

では変質とはなんだろうか。彼自身が為した注釈によれば、それは「死骸の腐乱のような部分的解体」と「聖なるもの」への移行を同時に意味する。[17] またロザリンド・クラウスは『視覚的無意識』で次のように述べた。「バタイユが変質alterationなる語を好むのは、そのすばらしい両義性のためである。ラテン語の語根 alter は状態の変化および時間の変化（あるいは前進）へと等しく通じていて、それゆえ退化と進化という相反する意味を含みもつ[18]」。

つまり変質とは「退化と進化」に代表されるような相反する時間の変化を意味する。それは自然の摂理から逸脱していると同時に、機械時計が刻むような一方向的で均質な時間の流れとも異なる、矛盾したフローだ。蝿がたかりながら腐敗して行く死体が、聖なるものへと上昇していくことの両義性。それは不定形でもあるだろう。たしかに変質によって到達される状態こそが不定形なのだが、不定形とは「操作的で行為遂行的な力」だ。変質と不定形は互いに循環する概念だが、その両方が前進と後退、あるいは進化と退化といった本来共存し得ない両義的な運動を示すものだ。そうした両義性を現出させることが戦間期のバタイユの思想の根底にあった。なぜなら彼にとって同時代の思想、芸術はあまりに衛生的過ぎたのである。だが一部の作家は彼にとって評価に値するものだった。

ピカソやゴッホに捧げられた『ドキュマン』のテクストは変質や不定形に具体的なイメージを与えてくれる。「腐った太陽」と題されたテクストにおいてバタイユは、西洋における「もっとも高尚な概念（コンセプシオン）」としての太陽を、肉眼で凝視することの物理的な可能さによって脱構築する。そのとき私たちの網膜、そして視界は黒く淀みながら腐り落ちて行くのだ[19]。また彼は、ゴッホについて語るなかで、太陽を凝視した患者に関する医師の報告を紹介する。そこでは太陽の凝視が網膜の物理的な破壊だけでなく、精神の破壊をも惹き起こすことが示される。

> 太陽を見つめ始め、自分の指を引きちぎれという強制的な命令をその光線から受けて、ためらうことも、いかなる痛みを感じることもなく、左人差し指を歯で嚙み、つづけて皮膚、屈筋と伸筋の腱、指節間関節の関節靭帯を嚙み切り、そうして引き裂かれた左人差し指の先端を右手でよじり、完全に引きはがした[20]。

こうした凝視された太陽、つまり白く輝く高尚な観念ではなく、人間の眼と精神を破壊する黒い物質こそが「腐った太陽」である。また彼は同時期に書かれた「プロメテウスとしてのファン・ゴッホ」において、その絵画について次のように述べた。「花々は、炸裂し、光輝き、さらには、やがて彼らを枯らすことになる太陽の光のなかへ自分たちの燃え上がった頭部をそそり立たせている」[21]。ゴッホにおいて、絵画の主題と描画は、太陽の唯物論的な矛盾を現出させる。

そうした操作的で行為遂行的な力こそが不定形や変質の特別な力学なのだ。それはピカソやゴッホの絵画を例にとることで理解することができる。そして「恋人たちの世界」は腐った太陽のような、不定形や変質の、両義的な力学のなかにあるのだ。

そうであるなら「恋人たちの世界」は、作家・スタンダールの結晶作用とはまったく異なる恋愛のモデルであるはずだ。そもそもバタイユなら「結晶作用」ではなく「腐敗作用」とでも呼ぶだろう。スタンダールの結晶作用において第一のものは「信じること」であり、第二のものは「疑うこと」である。この二つの結晶化の上昇的な移行において彼は恋愛をモデル化した。しかしそれは私たちの生きる世界の時間変化をひどく機械的に単純化しているように感じられる。

バタイユが考えるのは進化と退化を含みもつようなアンビバレントな時間だ。そうした時間のなかで恋人たちは痙攣している。

5-2 運命というメビウス

バタイユは、彼独自の思想において「恋人たちの世界」を捉えた。それは変質や不定形として現出する聖なる腐乱死体、あるいは腐った太陽のような両義性である。彼は、芸術や政治、学問に絶望しながらも、そうした両義的な運動を求めて思考した。

では「恋人たちの世界」はどのように生じるのだろうか。『魔法使いの弟子』でのバタイユが重要視するのは、避けようもない偶然性だ。このテクストに戻ってみよう。

> 人間の世界の誕生には、偶然が重なって形象が生まれることのほかに、人々の意志が一致することが必要なのである。唯一恋人たちの合意だけが、賭博者たちの卓上での合意のように、生き生きした現実を創造する。まだ形にならずにいる様々な偶然の一致の可能性で生き生きした現実を創造するのだ。[22]

ここで彼は「人間の世界の誕生」について語っている。そのためには偶然によって生じる形象と、人々の意志の一致が必要だ。形象と意志を一致させる「恋人たちの合意」によって到達されるのは「生き生きした現実」である。それは学者、政治家、芸術家によっては到達されることのない世界である。偶然の重なり合いと共になされる恋人たちの合意によって実現するギャンブルのような生。恋人たちによって創造される「現実」は、変質によって現出する不定形、あるいは不定形によって生じる変質の美しいバリエーションである。さらにバタイユが述べる「偶然」へと踏み込んで考えてみたい。

　目的論的な処置や、手段と目的の秩序づけから生を救い出す偶然、好運は、神々しい激情とともに現れ、なにごとにも勝っていく。かつて知性は、予見する理性の影響下で宇宙を感じとっていたものだが、もうそうしなくなって久しい。実存も、かつての知性のように星空や死に照らして自分を眺めさえすれば、自分が偶然の意のままになっていることに気づいていくはずだ。実存の壮麗さは宇宙に似せて作られた。その宇宙は功績や意図といった汚れとは無関係だったのだ[23]。

　ここでバタイユは知性に代わって宇宙を感じ取ると同時に、宇宙と似せて作られたものとしての「実存」を上げる。それは「生を救い出す偶然」であり、つまり恋人たちの合意において意志と一致した形象だ。まだ形にならずにいる様々な偶然性。ここでは出来事と行為と事物が混然一体となっている。それは手段と目的の秩序から抜け出すような好運だ。

　すべては偶然性と必然性によって彫刻された「運命」という名のメビウスの輪へと収束

していく。

裏表のない世界で恋人たちは「運命の企て」を実現させるのだ。次の一節はかなり複雑だが、目を通していただきたい。

> **生は自らを賭ける**。運命の企てが実現するのだ。夢の中の形象でしかなかったものが神話になる。**生きた**神話になるのだ。知的な埃は**生きた**神話を**死んだ**と認識し、無知による痛ましい錯誤とみなし、虚偽としての神話とみなすのだが、しかしこの生きた神話こそが、運命を形象化して、存在へ生成していく。ここでいう存在とは、理性的な哲学が不変のものという性格を与えながら歪曲している存在のことではない。まず姓と名が明記する存在であり、次いで終わりなき抱擁のなかへ消えていく二人の存在であり、最後には「人を拷問にかけ、斬首し、戦争する」国の存在になる……。[24]

まず引用の前半部を確認すれば「夢の中の形象」とは、先ほどの「まだ形にならずにいる様々な偶然の一致の可能性」のことに思える。続く「生きた神話」は「無知による痛ましい錯誤」や「虚偽としての神話」でなければ、芸術家や政治家が囚われている「フィクション」とも異なるものだ。生きた神話とは「恋人たちの世界」において創造される「現実」とゆるやかにつながったものではないだろうか？　そうであるのなら「知的な埃」は学者、芸術家、政治家の断片化した知性と実存のことであろう。

つまり私たちなりに言い換えれば……偶然の形象と意志とが、恋人たちの合意によって一致することで創造される「生き生きとした現実＝恋人たちの世界」は、最終的に「生きた神話」となる。それこそが「運命の企て」だ。生きた神話が夢のイメージと重ねられるのは、寝室のベッドにおいて、沈黙のなかで見つめ合う恋人たちによって創造される「人々がお互いを再発見し合う世界」を想定してのことだろう。

当時のバタイユも読み込んでいたニーチェは「運命愛」について、『この人を見よ』のなかで記している。

人間の偉大さを言いあらわすためのわたしの慣用の言葉は運命愛（アモール・ファティ）である。何ごとも、それがいまあるあり方とは違ったあり方であれと思わぬこと、未来に対しても、過去に対しても、永遠全体にわたってけっして。[25]

既にあるものに対して、別様であって欲しいとは思わぬこと、それが運命愛である。バタイユは、偶然でしかないような現在を必然として受け止め、そして愛することを勧めているように思える。それを可能にするのは「恋人たちの合意」だ。

先ほどの『魔法使いの弟子』の引用に戻ろう。「生きた神話こそが、運命を形象化して、存在へ生成していく」。偶然の形象として運命が位置付けられる。だが形象化された運命は「理性的な哲学」が取り扱う「普遍のものという性格」によって歪曲されたものではない。バタイユは「姓と名が明記する存在」、つまり普遍化された「人間」（Ｍａｎ）ではなく、それぞれに異なる個別の生において形象化された運命について語っているのだ。運命が生成する存在たちは「抱擁のなかへ消えていく」。そこにあるのは「恋人たちの世界」だ。だが「最後には「人を拷問にかけ、斬首し、戦争する」国の存在になる」。唐突な結末だ。

ここでバタイユは「恋人たちの世界」に一度見切りをつけようとしていた。彼はこのテクストの最終部において、恋人たちの世界から実際の神話や儀式へと論じる対象を移動させていくのだ。ここでは一旦彼の議論に則って話を進めるが、彼が「恋人たちの世界」から離れようとしていることを忘れないでおいていただきたい。

バタイユによると、神話とは「儀式の場で生きられる」。そこでまず想定されているのは恋人たちの寝室というより、より多くの成員が関わる祝祭である。以下に重要な部分を列挙した。

民衆は祝祭の騒ぎのなかで神話への**合意**を表明し、その**合意**は神話を生の人間的現実にしている。だからこそ神話はただのフィクションとは違うのだ[26]。

一個の神話は、**総合的な**実存と連帯している。一個の神話は、**総合的な**実存の感情的な表現なのだ[27]。

人間の実存は、聖なる場所に案内されると、運命の形象に出会う。それは**偶然**の気まぐれによって固定化された形象だ[28]。

こうして恋人たちの世界を通じて描かれたビジョンは、神話による共同体へと転回していく……あくまでそのように読める。しかし私たちはバタイユが語った「恋人たちの世界」が「神話の共同体」へと移行することのなかに、より本質的な一貫性を見出すべきなのではないだろうか？　だが彼が原注に残した言葉は私たちの思索を断念させようとする。

このテクストにある《恋人たちの世界》の描写は、論証的な価値しか持っていない。

> この世界は、目下の生においてはきわめて稀な可能性でしかないが、実現されれば、芸術、政治、学問の各世界よりもずっと実存の総合性に近い特徴を示すことになる。とはいえこの世界もまた人間の生を完成させはしない。ともかく《恋人たちの世界》を社会の原初的形態とみなしたりすれば、それは間違いなのだろう。男女のカップルが社会的事象の基底にあるといった発想は、決定的と思われるいくつかの理由によって放棄されてしまっているはずである。[29]

この注釈において、「恋人たちの世界」は、論証のための例示へと格下げされている。つまり「恋人たちの世界」を現実に実現可能なモデルとして捉えることを、バタイユが躊躇しているように読めるということだ。しかしここでの彼の躊躇を文字通りに読むなら、社会の原初的形態や社会的事象の基底として「恋人たちの世界」を考えるべきでないと述べているだけである。これと併せて、それが「きわめて稀な可能性でしかないこと」にも彼は触れている。つまり彼は「恋人たちの世界」を社会の原初的形態や基底として捉えることを否定しつつ、そもそも「生きた神話」に到達することがあまりに困難であることから、それを「例示」の位置に止めようとしているに過ぎない。

しかし『魔法使いの弟子』の本文で、バタイユは、彼が描き出す限りでの恋人たちを「社会の原初的形態」や「社会事象の基底」としていただろうか？　むしろ彼は、学者や芸術家、政治家が不能になった時代に、三者に代わって「生き生きとした現実」や「生きた神話」を創造する新たな主体として「恋人たち」を取り上げてきたのではなかっただろうか？　そうであるなら、この注は、原初や基底といった位置に「恋人たちの世界」を置くことへの注意喚起をしただけだと捉えることができる。つまりこれまでに成立したことのない人間のあり方として「恋人たちの世界」は提示されているのだ。

それに実現が困難であるからといって「恋人たちの世界」を諦めるべきだという結論に至るのは消極的過ぎる。むしろ、それが新しいあり方であるのなら困難であって当然だ。

また現在流通している日本語訳において「男女のカップル」と訳出されている部分は、原文においてはたんに「couple」と書かれている。ここまで参照してきたものとは異なる過去の日本語訳では、この注釈の最後の一文は「二人の結びつきが、社会的事実の根底にあるという考え方は、決定的と思われるいくつかの理由から見て、捨て去られるべきであった」とされている[30]。

それでも実際、バタイユは、ロマン主義的な異性愛規範に閉じ込められているようにも見える。だが先ほど述べたように「恋人たちの世界」、つまり「二人であること」を、社会の原初的形態や基底であることから解放して新しい枠組みとして捉えるのなら、それは常に、未だ到達されたことのない世界への可能性であるはずなのだ。

強引かもしれないが、次のように読むことができるかもしれない。バタイユが異性愛規範に基づいた人間のカップル、ロマン主義的恋愛の限界を超えるために祝祭における「生きた神話」を登場させたのだとしたら、逆説的に、そこにこそ「恋人たちの世界」の可能性が隠されているように思える。つまり「生きた神話」のなかに秘匿された「二人であること」の特殊な形態こそが、恋愛の、来るべきモデルである可能性だ。

こうして不能になった学者、芸術家、政治家に対して「恋人たちの世界」が持つ力が少しずつ明かされる。恋人たちの合意によって、偶然の形象と意志が一致し、そして運命が形象化される。バタイユの述べる「恋人たち」は社会の原初的形態でなければ、既存の哲学によって普遍化することのできるような観念でも、ロマン主義的な二者関係でもない。恋人たちは「二人であること」によって世界を取り戻し、生きた神話を創出する。「二人であること」や「恋人たちの世界」とは未だ人類が到達したことのない実存の形式（form）……いや不定形（inform）なのだ。

分裂した人間存在は、誘惑されてはじめて総合的実存を完全な姿で回復できる。[31]

彼はそう述べている。

5-3　恋人たちの共同体

結婚する恋人たち

ところで、バタイユと同年代の思想家が『魔法使いの弟子』とかなり似通った語彙で思考していたことがある。日本の哲学者・和辻哲郎だ。『魔法使いの弟子』の前年に、和辻が執筆した『倫理学』には「二人共同体」と呼ばれる性愛の共同体が偶然にも登場する。それは一見してバタイユの「恋人たちの世界」と同一のものにも見える[32]。この節では、和辻とバタイユの比較から出発して「二人であること」の価値を明かしたい。

和辻は「私的存在」を前提として議論する。私的存在とはあらゆる「参与」から撤退した存在であり、「参与を欲せず、また参与を許さない」。つまり何ものかと関わったり、関わられることの外にあるのが彼にとっての私的存在である。それは「公共性の欠如態」と表現される。

しかし二人共同体は、私的存在である二者間の徹底的な相互参与によって形成される。それはすべての参与、公共性が欠如したところにある「二人であること」の共同体だ。そうして一切の他者の介入を拒んだ二人のあいだでは、「私」が消滅し、すべてが「公共的」となる。周囲から隔絶されたまま、二人はひとつになるのだ。それは二人でありながら、二つの「私」が消滅し、すべてが共有されて一体となるような状況である。つまり二人共同体は、その共同体の外部に対する公共性の欠如と、その内部における極限の相互参与という両義性が絡まり合うことで生まれる。[33]

その上で、和辻において、「二人」はつねに男女でなければならなかった。少なくとも『倫理学』においてはそうしたヘテロな性愛こそが「二人共同体」の根幹にあった。このときヘテロであることによってどれほど多くのものが排除されたかは一切配慮せず、和辻は男女の性愛の共同体について書き進む。なぜなら和辻の倫理は国家のための倫理なのだ。和辻が描く恋人たちの共同体は、なんの齟齬もなく「夫婦」の関係性へと移行する。つまり結婚の共同体、そして家族、最終的には日本国へと止揚されていくのだ。

そうして「二人であること」が弁証法的に国家へと止揚されるプロセスこそが、バタイユに対して「恋人たちの世界」というモデルを手放さなければならないのではないか、と躊躇させた原因でもあったのだろう。彼は、恋人たちが「二人を拷問にかけ、斬首し、戦争する」国」へと至ることを恐れていたのだ。

だがバタイユは、和辻とは異なる「二人」のモデルを考えていたように思える。まず彼が「恋人たちの世界」に見出していたのは、結婚を通じて、国家へと回収されていくようなものではない。そもそもバタイユはファシズム政権や民族主義の脅威に対して批判的な考えを持っていたし、だからこそ敏感にも「恋人たちの世界」の危険性を察知した。『魔法使いの弟子』における「恋人たちの世界」は、和辻の「二人共同体」とは異なるモデルとして構想されている。

バタイユが恋愛の新しいモデルとして「恋人たちの世界」を捉え、それが学者、芸術家、政治家の営みを代替するのだとしたら、かなり多くの知見を得ることができるように思える。こうした読みは、「恋人たちの世界」を介して、彼の思想が具体的に社会で実行可能な形式へと翻ることを意味する。それは和辻の二人共同体とはまったく異なる、歴史や国家からの逸脱的構想だ。私たちの考える「二人であること」は私的な領域と公共的な領域が国家へと止揚されずに踏みとどまる可能性である。

だからここで「恋人たち」という私的な響きを持つ言葉に「共同体」という公共的な語彙を組み合わせて、バタイユが『魔法使いの弟子』で語っていた「恋人たちの世界」を、あらためて「恋人たちの共同体」と呼びたい。

結婚の共同体

バタイユは「恋人たちの共同体」とは区別されたものとして「結婚の共同体」について

も考えていた。戦後の彼の著作『エロティシズム』によると「結婚とは、まず何より、合法的な性活動の枠組である」[34]。彼にとっての結婚とは、動物的な暴力、つまり彼が「エロティシズム」と呼ぶものを抑制しながら、それに出口を与えるものだ。

エロティシズムは社会において禁止され違法とされる領域への侵犯行為として、戦後のバタイユが展開する広範な議論の通奏低音をなす概念である。例えば今日の社会において裸を衆目に晒すことは禁止されている。この禁止を侵犯して裸になり、別の裸に触れることこそがエロティシズムである。そして彼の思想においては「禁止の侵犯」という条件において、殺害や、それを可能にする原始社会の祝祭における人間の生け贄もまたエロティシズムとして捉えられる。多くの場合そうした侵犯行為は違法だが、「結婚の共同体」はエロティシズムを抑制しながら合法的な出口を与えるのだという。

しかしバタイユは結婚について「狭く限られた出口」に過ぎないと批判的に述べている。実際、結婚の共同体は、国家によって承認された夫婦の内部へと性行為や裸を閉じ込める。そうして、禁止された領域を合法的に侵犯することが許された共同体を創出する。だが「肉欲の生が気まぐれな爆発に応じて十分自由に営まれなかったら、その肉欲の生は貧弱なものであるだろう」[35]と述べているように、「気まぐれの爆発」、つまり偶然的な暴力を失わせるものである点で結婚に対して彼は否定的だ。

恋愛の話をしているのに、暴力を肯定するようなことを言って驚かれる方もいるかもしれない。しかしバタイユは二度の世界大戦を経験しながら、その災禍を回避する人類的な方法を編み出そうとした人物だ。そうした前提から考えても、彼が述べる暴力について耳を傾ける必要がある。

「狭く限られた出口」としてでなく、十分なエロティシズムを作動させるのが「恋人たちの共同体」なのだ。そこでなされる禁止の侵犯は、違法である。なぜならその共同体は「結婚の共同体」とは異なり国家に承認されたものではないのだから。しかしだからこそ、「恋人たちの共同体」は十分なエロティシズムを可能にする（そして違法であることによって最大の災禍を回避することが可能だとしたら？）。

ここで構想しようとしているものは、古代ローマの侵略戦争におけるレイプや、ロマンティック・ラブ・イデオロギー、和辻が『倫理学』において結婚へと止揚した恋人たちとはまったく無関係である。バタイユは述べる、「エロティシズムとは、死におけるまで生を称えることだ[36]」。

恋人たちによる世界の再設計

ここで先ほど触れたバタイユの「気まぐれの爆発」という言葉に注目したい。それは『魔法使いの弟子』において重視された偶然性や運命の等価物ではないだろうか。だがこの爆発は、一方的な欲望の発露とは異なるところで捉えられるべきだ。重要なのは「恋人たちの合意」である。それは孤独な人間たちのノスタルジーを満たす。

生の根底には、連続から不連続への変化と、不連続から連続への変化とがある。私たちは不連続な存在であって、理解しがたい出来事のなかで孤独に死んでゆく個体なのだ。だが他方で私たちは、失われた連続性へのノスタルジーを持っている。私たちは偶然的で滅びゆく個体なのだが、しかし自分がこの個体性に釘づけにされているという状況が耐えられずにいるのである。[37]

常に不連続でしかない私たちは「失われた連続性へのノスタルジー」を捨てることができない。これは一方では私的なエロティシズムの理由になるし、戦間期のバタイユであればナチスの民族主義による「失われた世界の回復」と呼ぶものの理由にもなる。[38] また人間の不連続性について彼は『呪われた部分』で微生物をモデルとして論じてもいるのだが、そうした考えは近年の情報技術を通じた共同体理論にもつながる。

複雑系研究者の鈴木健は300年後の社会システムを構想する著書『なめらかな社会とその敵』において、すべてがなめらかにつながった境界のない社会を科学的に示した。そこで前提となるのも生物の不連続性である。

あらゆる生命は細胞から成り立っているが、細胞膜とは、細胞の内側と外側を分けてリソースを囲い込むためのものである。人間を含めた生命にとって、【膜】をつくること、境界を引くことは、生きることそのものと等しいある種の業なのである。[39]

鈴木は、生物の細胞膜が根本的に人間の社会に不連続性をもたらしたのだと指摘する。そして内部と外部を分ける「膜」のなかには意志や意識といった「核」がある。だが人間には認知限界があるため膨大な情報を無制限に処理できるわけではない。そこで複数の「膜」を相互に干渉させることで「網」を作り出す。そして最終的には「核」や「膜」ではなく「網」が思考を、計算を代替する。

私たちの身体（あるいは脳）の中の計算能力を最小限にして、社会制度という建築物（機能拡張された環境）のほうでより多くの計算を行い、身体システム（人間）と環境（社会制度）の相互作用の中から、全体としての知性を実現させている。そうした社会制度の端的な例が市場である。[40]

その説明は生物の進化へと翻される。

複雑さとつき合うために、生命の進化はおもに2つの解決策を生み出してきた。第一に、システムの境界を同定して内と外を分ける膜によって複雑さを縮減し、核によってシステムの内部と外部を制御する技術である。第二に、環境のほうに複雑さを押し付け、全体としての知性を増幅させる建築的手法である。第二の手法によって一部の認知リソースは解放され、複雑なまま世界を認識させる認知的余力を生み出すことができる。[41]

その建築的手法における「網」の再設計可能性によって、鈴木は「なめらかな社会」を考える。確かにその議論は魅力的だが、「恋人たちの共同体」を通じて私たちが捉えようとするのは「膜」の再設計可能性の方だ。

ここで改めて重要に思えるのは、『魔法使いの弟子』においてバタイユが述べた「恋人たちの合意」である。彼は、偶然の形象と意志が、恋人たちの合意において一致することにおいてのみ「生き生きとした現実」を創出するのだと述べてた。その合意は身体という「膜」を「二人であること」へと拡張する。そこでは「失われた連続性へのノスタルジー」

が解消される。

だが合意なき形象と意志の一致は、ホロコーストをはじめとした大量虐殺の理由になってしまうものだ。もしも形象と意志を一致させることで失われた連続性を回復させようとする欲望を捨てることが人間にできないのなら、恋人たちの合意に賭けることで、民族主義的な「膜」ではないところに「膜」を生じさせることができる。

その上でどのような「網」が構想されるべきなのかは改めて考える必要のある問題だが、情報技術や人工知能を通じて現在進行形で解放される人間の認知リソースを最悪の結末へ導かないための可能性において「恋人たちの共同体」の「膜」としての価値は示される。

太陽と一緒になった海

見逃すべきでないのは、エロティシズムという禁止の侵犯は、一方的な暴力ではなく恋人たちの合意によっても達成できることだ。その合意は国家によって認められるものではない。身体の不連続性を、偶然的に滅びゆく個体の失われた連続性へのノスタルジーを、「恋人たちの共同体」によって満たすことができたなら、そのとき私たちの意志と思考は人類の幸福のために活用されることになるだろう。

この幸福はイギリスの社会学者アンソニー・ギデンズが『親密性の変容』で提示した「純粋な関係性」とも近い。それは「社会関係を結ぶというそれだけの目的のために、つまり、互いに相手との結びつきを保つことから得られるもののために社会関係を結び、さらに互いに相手との結びつきを続けたいと思う十分な満足感を互いの関係が生みだしていると見なす限りにおいて関係を続けていく、そうした状況」である。[42]「純粋な関係性」は、和辻の考えた「二人共同体」とは異なる。ギデンズの「純粋な関係性」は婚姻関係も含むが、友人関係などにも見出されるのだ。二人の関係性に内在し、そして繰り返されるコミットメントは「共有された歴史」を形成する。それは当人たちにとってのみ意味を持つ歴史であり、そうであるが故に「純粋な関係性」は外部の基準によって左右されるものではない。その歴史は、まさにラブレターに書かれるような恋人たちの思い出と等しい。

恋人たちの合意は、そうした歴史をつむぐための出発点となる。「恋人たちの共同体」は外部の基準によって左右されることのない関係性なのだ。それは「二人であることの孤独」としか言い得ないような、生物学的な「膜」とも、国民国家的、あるいは資本主義的な「膜」とも異なる共同体の最小単位である。

最後に、バタイユがランボーの詩を引用しながら自身の思想を述べた一節を引用したい。これこそが「恋人たちの共同体」において見出されるべき、人間の身体から解放された恋愛の景色である。

見つけだすことができたんだ。
何をだい？　永遠さ。
それは、太陽と
いっしょになった海なんだ。

詩は、人を、エロティシズムのそれぞれの形態と同じ地点へ、つまり個々明瞭に分離している事物の区別がなくなる所へ、事物たちが融合する所へ、導く。詩は私たちを永遠へ導く。死へ導く。死を介して連続性へ導く。詩は永遠なのだ。それは太陽といっしょになった海なのである。[43]

ここまで「恋人たちの共同体」においてなされる合意が持つ政治的可能性を私たちは確かめた。その共同体は、合意なき暴力としての大量虐殺を回避する手段でもある。恋人たちの非合法な合意は、ひとつの希望なのだ。

そして「恋人たちの共同体」を作り、「二人であることの孤独」を回復させるための方法としてラブレターはある。ラブレターは非合法の合意のためにあるのだ。

続く最終章では「二人であること」の可能性と危険性の両面を確認した上で、現代において可能な「恋人たちの共同体」のモデルを、ラブレターの目的地まで歩きながら確かめたい。その目的地とは「太陽といっしょになった海」である。

注釈

1　江澤健一郎『バタイユ——呪われた思想家』河出書房新社、２０１３年。
2　ミシェル・シュリヤ『G・バタイユ伝（下）１９３６〜１９６２』西谷修、中沢新一、河竹英克訳、河出書房新社、１９９１年、46・48頁。
3　ジョルジュ・バタイユ『魔法使いの弟子』酒井健訳、景文館書店、２０１５年、６頁。
4　同書、7頁。
5　同書、8頁。
6　同書、11・12頁。
7　同書、12頁。
8　同書、14頁。
9　同書、17頁。
10　同書、22頁。
11　同書、19頁。
12　同書、19頁、
13　同書、19・20頁。
14　同書、24頁。
15　ジョルジュ・バタイユ「不定形の」『ドキュマン』江澤健一郎訳、河出文庫、２０１４年、１４４頁。
16　ロザリンド・E・クラウス、イヴ・アラン＝ボワ『アンフォルム——無形なものの事典』加治屋健司、近藤學、高桑正巳訳、月曜社、２０１１年、18頁。
17　ジョルジュ・バタイユ「プリミティヴ・アート」『ドキュマン』２１９頁。
18　ロザリンド・E・クラウス『視覚的無意識』谷川渥、小西信之訳、月曜社、２０１９年、２２０頁。
19　ジョルジュ・バタイユ「腐った太陽」『ドキュマン』１７９・１８１頁。
20　ジョルジュ・バタイユ「供犠的身体毀損とフィンセント・ファン・ゴッホの切断された耳」『ドキュマン』２３４頁。
21　ジョルジュ・バタイユ「プロメテウスとしてのファン・ゴッホ」『ランスの大聖堂』酒井健訳、ちくま学芸文庫、２００５年、43頁。

22 ジョジュ・バタイユ『魔法使いの弟子』25頁。

23 同書、27頁。

24 同書、29頁。

25 ニーチェ『この人を見よ』手塚富雄訳、岩波文庫、1969年、80頁。

26 ジョルジュ・バタイユ『魔法使いの弟子』30頁。

27 同書、31頁。

28 同書、31頁。

29 同書、36頁。

30 ジョルジュ・バタイユ「魔法使いの弟子」『バタイユの世界』入沢康夫他訳、青土社、1978年、428頁。

31 同書、19頁。

32 陣野俊史「「恋人たち」をどこへ繋ぐか――バタイユと和辻の「二人」について」『ユリイカ　特集＝バタイユ――生誕100年記念特集』青土社、1997年7月号。この節における議論は、この論文に多くを負っている。

33 和辻哲郎『倫理学（二）』岩波文庫、2007年、92 - 93頁。

34 ジョルジュ・バタイユ『エロティシズム』酒井健訳、ちくま学芸文庫、2004年、180頁。

35 同書、184頁。

36 同書、16頁。

37 同書、24頁。

38 ジョルジュ・バタイユ「ニーチェ風時評」『無頭人（アセファル）』兼子正勝・中沢信一・鈴木創士訳、現代思潮新社、1999年、152頁。

39 鈴木健『なめらかな社会とその敵――PICSY・分人民主主義・構成的社会契約論』ちくま学芸文庫、2022年、5頁。

40 同書、58頁。

41 同書、83頁。

42 アンソニー・ギデンズ『親密性の変容――近代社会におけるセクシュアリティ、愛情、エロティシズム』松尾精文・松川昭子訳、而立書房、1995年、90頁。

43 ジョルジュ・バタイユ『エロティシズム』43頁。

第六章　誤変換的リアリズム

6-1　二人であることの病い

ここまで論じた「恋人たち」という最小単位の共同体を起点として、最後に考えるのは、二者関係に閉じ込められた言葉がどのように運動するのかである。つまり国家や法が破綻した場所で、近づき過ぎた「二人」はどのように思考し、行動するのか。その思考と行動に対して、言葉はどのように働きかけるのか。

二人であることの究極的なあり方を描いた作品がある。
それは奇妙な二者関係を描き出したジャン・ジュネの戯曲『女中たち』だ。これは演劇のための戯曲なのだが、それ自体で読み物として、つまりひとつのテクストとしても読まれてきた。この作品を取り扱うのは、私たちにとって「二人であること」が持つ意味を、演技や身分、姉妹などの多様な視点から描き出しているからだ。そこで本章では、本作を起点として「二人であること」を論じる。

『女中たち』の配役

『女中たち』を書いたのは、ジャン・ジュネというフランスの作家である。1910年にパリに生まれたジュネは、30代になるまで放浪と犯罪を繰り返しながら生活していた。窃盗や乞食、男娼、わいせつ、麻薬密売などの犯罪を繰り返したというジュネだが、獄中ではじめた執筆活動の結果、その作品はコクトーやサルトルなどの同時代の知識人によって評価された。最終的には、彼らの働きかけもあって大統領の恩赦を獲得するまでに至っている。その後のジュネは、小説や詩、エッセイ、戯曲の執筆だけでなく、映画制作や政治活動も行った。

ここで取り上げる『女中たち』は、自由の身になって以降のジュネが書いた作品である。執筆は1947年。登場人物は、住み込みの女中である二人姉妹のクレールとソランジュ、そして雇い主の奥様の3名だ。あまりに多くのバージョンがあり、それらを比較することは困難である。しかし私たちの目的は、ジャン・ジュネの研究ではなく、二人であることについて考えるための足場を作ることだ。そこで国内で手に取るのも容易い岩波文庫版の『女中たち』を中心に議論を進める。

ところで「女中（le bonne）」という言葉については、差別用語なので使用すべきでないという考え方もあるし、現在の日本では少し想像し難い存在だと思われるかもしれない。しかし岩波文庫版の解説で訳者の渡辺守章が述べているように、「家政婦」や「お手伝いさん」と偽善的に呼び替えたところで当時のフランスには実際に屋根裏部屋などに住み込んで労働する人々がいた事実は覆し得ない。そしてジュネの作品には、性的指向や社会的身分、人種など、様々な理由で社会から隠避され、虐げられた人々の生を描くものも多い。そのため、ここではあくまで「女中」という用語を使用する。[1]

前置きが長くなったが、本作の物語を見ていこう。

幕が上がると、舞台には二人の女性が立っている。そこでは、女中と女主人が激しく言い争っている。演劇として上演された場合、そのようにして物語ははじまる。しかし戯曲を直接読む読者は、数ページ読むだけで違和感に気がつくだろう。なぜなら太字で「クレール」と割り振られた人物の台詞のなかで、そのクレールが相手のことをクレールと呼ぶからだ。そして「ソランジュ」の方はクレールを奥様と呼ぶ。そのため冒頭部はかなり読みづらく、理解が難しいものとなっている。

読み進めていくと、クレールを演じているソランジュの感情が昂るなかで、思わず自分のことを「ソランジュ」と呼び間違える。[2] 事前知識なく演劇として本作を見ている人々であれば、このとき、今見ているものが二重に演じられた演劇であることに気がつくだろう。

そう、実は舞台に立っていた二人は「奥様と女中」というごっこ芝居に興じるクレールとソランジュという女中の姉妹なのだったのだ。それがごっこ芝居、演技であるが故に「呼び間違い」がなされてしまう。つまりこのとき、劇中劇のなかに現実が陥入していたのだ。

役者A	クレール	演じられた奥様
役者B	ソランジュ	演じられたクレール

この日に限らず、姉妹は、雇い主の不在の隙にごっこ芝居を行っている。冒頭のシーンは、妹のクレールが奥様役、姉のソランジュがクレール役をそれぞれ演じたものである。そして続くシーンで、ソランジュの演じるクレールは、クレールの演じる奥様を平手打ちする。ここで、この二人の奥様への、そして自分たちへのあまりに歪んだ……いや、正確に言えば、多層的な感情に私たちは触れることとなる。

この劇中劇のなかで演じられた奥様は女中を、なじり、いじめ、けなす。その口実は、些細な忘れ物、失敗だけでなく牛乳配達の男との関係など多岐にわたる。それに対して女中の側は、基本的に奥様を尊敬しており従順だ。しかし白いドレスを出すように要求された際には頑なに赤いドレスを差し出すなど、命令に背くような強い意志も見せる。

そうして繰り広げられる二人の遊びの目的は奥様の殺害である。最後には、ソランジュの演じるクレールが、クレールの演じる奥様の首に手を伸ばす。殺そうとする。しかしそのとき、突然目覚まし時計が鳴り響き……「奥様と女中」ごっこは終わる。二人は奥様の殺害に失敗する。

サルトルによるジュネ

哲学者のジャン・ポール・サルトルは、日本語の全集にして二巻に分けられた大作『聖ジュネ』の「付録Ⅲ『女中たち』」で、本作について、存在と仮象、あるいは真と偽、行為と演技の「回転装置」と評している。[3] それは演じられた世界が何層にも折り重なりつつ、いくつもの世界を演じる人物たちが複数の世界を行き来する本作の特性への理解の足がかりとなるものだ。「二人の女中がその女主人を愛し、かつ同時に、憎んでいる」[4]。ここで演劇として構造化された多層的な世界は、まさにそうした折り合いのつかない想いが生のまま露出することの驚異に満ちたものだ。

本作を読むだけでは考えもしないような指摘によって、サルトルの批評ははじまる。それは二人の女中を演じる役者は男性であるべきであり、ジュネもそのように考えていたと断じるものだ（しかし実際は女性によって演じられた）。なぜ女中を男性役者が演じるのかと言えば、舞台の上で生じるすべての出来事を、どのような現実とも関係を持たない仮象の出来事として演出するためだ。もしも女性として生きる役者が女性を演じるのなら、その女性は「女」を演じる必要がない。そうであるのなら本作における「演劇」という非現実化の営みは根本的なものとはならないとサルトルは考える。[5]

声変りのしたしわがれた声音、男性らしい筋肉のかわいた硬さ、髭の剃りあと青みをおびたつや、これらのものを通して、脂肪のぬけた、精神化された女というものが、男によって創られたものとして、独力では存在を維持できない蒼ざめた腐蝕性の亡霊として、極端で束の間の努力のやがて消えていく結果として、女を欠いた世界で男の力でやれる実現不可能の夢として、立ちあらわれることであろう。[6]

こうした着想は、ジュネ自身の生と関係させられる。「姿をあらわすものは、一個の女であるよりも女であることの不可能性を身を以て生きているジュネその人の姿であろう」[7]。しかし男と女を対立させながら、ジュネが同性愛者であることを根拠に論じはじめるサルトルの批評は、素朴な性別観に頼っていると言わざるを得ない。むしろ『女中たち』の多層性は、そうした男と女の性別的対立や、その対立が前提となった社会のなかで生きることの不可能性「だけ」ではないところで準備されていると考えるべきだからだ。

実際、多層化された演技を通じて立ち上がる、現実とは隔てられた領域について、(クレールによって演じられた）奥様は述べる。

このわたくしというものを介してのみ、女中というものは存在する。わたくしの叫ぶ声、わたくしの仕草があればこそよ。[8]

ここで私たちは、そもそも女中という存在が、雇い主を通じてしか存在し得ないということに思い至る。だがそれと同時に、本作冒頭において、その奥様はクレールによって演じられることで存在している。さらに付け加えるなら、逆に、奥様の生活は女中たちによって支えられてもいる。もしも女中たちがいなければ、雇い主たちは清潔で快適な生活を今まで通り送ることもままならないだろう。つまり女中たちと奥様の相互的な関係が、詩的な演出によって露わにされている。[9]

こうした作中人物たちの詩的回転にフォーカスするのなら「女を演じる男」という演出は蛇足となる可能性がある。つまり、そこにいる役者の「身体的な男性性の向こうに女性性を見出すことに集中する鑑賞者」をジュネが求めているのだろうか？　その場合、（性器的か否かにかかわらない）男女の性差とは異なるところ、つまり雇い／雇われ、養い／養われるといった位相にある「支配」関係の詩的回転が、作品体験としては後退してしまう可能性がある。サルトルは似た構成のジュネの戯曲の女性バージョンとして『女中たち』

作品そのものについて考えを論じてもいるのだが、ジャン・ジュネという人間ではなく、作品そのものについて考える場合にはこうした見方は狭量にも思える。[10]

しかしそれでも、その女中たちが一人ではなく二人であることに注目するサルトルの言葉は重要である。それは二人の姉妹の交換可能性こそが、自分がそのまま自分であることの不可能性を明かすことの指摘である。しかるに「各々が、相手のなかに、自己から隔たりをおいた自己自身のみを見る」のだ。[11] クレールを演じるソランジュを通じてクレールは自身を発見する。それは役者にとっても同じことだ。つまり演技することを職能とする役者が、舞台の上で「ごっこ遊び」として演技する女中たちの、素人の演技を演技しなくてはならない。

ジュネは、『女中たち』の演じ方として「盗むように密かな」という言葉を用いている。[12]「泥棒作家」として脚光を浴びたジュネらしい言葉と言えるかもしれない。重要なことは、ソランジュとクレールが互いの存在を密やかに盗むように演技し合うことだ。

そしてサルトルの批評において最も目を向けるべきは、ジュネの『女中たち』から抽出された悪の取り扱いだ。この作品における悪とは、まず奥様の殺害である。しかしその殺害には、いつも失敗する。ごっこ遊びが目覚まし時計の音で中断されたとき、ソランジュは「いつだって、同じだわ」「あんたを殺すところまでいけないいんだ」と不平を述べる。[13]

だが「〈悪〉とはすなわち想像力だ」と述べるサルトルは、女中たちは、この犯罪が未完であることに「失望するふりをする」のであって「犯罪の仮象(みかけ)に十分に満足している」のだと言う。[14]

まずクレールは彼女が奥様を愛してるが故に奥様になり変わる。愛するとはジュネにとって、なり変わりたいと意欲することなのだ。奥様の内部で彼女は消滅し、自己から脱出する。しかしまた彼女は、奥様を憎むが故に、奥様になり変わるのでもある。[15]

その上でサルトルは問う。あの呼び間違いのシーンの直後で、「誰が誰に平手打ちを食わしているのか」。この平手打ちによって『女中たち』という回転装置はさらなる複雑さに突入する。まず言えるのはソランジュによって演じられたクレールが、クレールによって演じられた奥様を平手打ちしたということ。しかしそれは演技としての平手打ちである。それと同時に、クレール自身の頬の痛みにおいて、ソランジュの行為は演技ではなく本物なのだ。ここには第一の回転がある。だがそれと同時に、舞台の上の平手打ちは演じられたものである。ここには第一の回転がある。つまり一人の役者が、もう一方に食らわせるふりをしている「にせの平手打ち」なのである。だからこそ「この平手打ちは一つの詩的行為なのだ」。[16]

こうしてなされる演技と行為の多層的な詩的回転こそが、悪の実践である。失敗を繰り返す殺人。悪とは想像力なのだ。「〈悪〉とは〈善〉の廃墟の上に自己を生み出す〈空無〉なのだ[17]」。サルトルは、回転装置の多層的な折り重ねに悪の位相を見出す。

バタイユによるジュネ

そしてジュネの悪に、第五章で取り扱ったジョルジュ・バタイユもまた注目している。彼の晩年の著作『文学と悪』におけるジュネ論で、悪は、至高性への到達の可否を分けるものとして論じられた。

「至高性（souveraineté）」とは、バタイユが繰り返し用いた概念であり、通常の翻訳では政治的な意味で「主権」と訳すこともできる言葉だ。わざわざ「至高性」と訳出されているのは、バタイユの著作において、近代社会で求められる有用性によって失われたものとして「souveraineté」が位置付けられているためだろう。至高性としての主権はバタイユの生涯にわたって、原始社会から共産主義にいたるまでの広範な社会・経済システムの分析のなかで思考された。そしてジュネ論のなかでは、古代エジプトにおいて君主だけが近親相姦の禁止から除外されていること、あるいは祝祭における生贄の殺害などの主題に見出される。

彼はサルトルのジュネ論に対して、一見して最大の賛辞を送っているのだが、その上でサルトルが至高性については無関心だと述べる。[18] バタイユらしいユニークさを発揮するのは、ジュネが用いる際限のない悪に対して、限界づけられた悪こそが至高性への鍵だとする点である。[19] なぜなら祝祭における殺害、つまり期間限定で許可された犯罪は、動物ではなく人間であるからこそ順守しなければならない禁止を「瞬間のなかで」侵犯することで、逆説的に、人間であることの本質の上に身を持することを可能にするのだ。それこそが限界づけられた悪によって到達される至高性だ。禁止された領域を侵すことの一時的な権利。それこそが限界づけられた悪である。

バタイユによれば、ジュネの悪は、彼の自尊心によって失敗するとされる。もちろんジュネにとっての自尊心とは一般的な意味とは異なり「悪の権利回復」に向けられたものだ。[20] ジュネは「王者としての尊厳〔自尊心〕や貴族性など、つまり旧来の意味での至高性のことを思いわずらうあまりに、ただ無能におわるほかない」。[21] そしてジュネの悪の際限なさこそが、至高性へと到達することに失敗させるのだ。

ここでジュネの悪が際限のないものになっているのは、その自尊心のあまり作品を通じた読者との霊的交通（communication、通常は「交感」と訳される）を拒否したことだとバタイユは指摘する。[22]「文学とは、霊的交通なのだ」と宣言するバタイユにとって、ジュネは、自らの孤独な利益のために悪を、そして至高性を用いようとした際限なき悪人なのだ。[23]「ジュネ自身は、彼の作品を読もうという気になるひとたちの、上にではなくとも、その手のとどかないところに身をおこうとしている」[24]。バタイユは、文学において至高性を取り扱うために、書き手と読者の双方向的な関係を重視する。だがジュネは、至高性に気を取られるあまり、読者との霊的交通を軽視し過ぎたのだとバタイユに断じられる。

つまり、わたしたち読者とこの作者とのあいだには、一枚のガラスの壁がはさまっていて、交流が不充分なところから、がっかりとした気分を味わうのだが、そこから出発してわたしは、次のような確信を抱くのである。すなわち、人類〔人間性〕とは、孤立しただけの諸存在でできているものではなく、それら諸存在間の霊的交通において成立するものなので、わたしたちは、自分自身にとっても、この他者たちとの霊的交通の網目のなかにおいてでなければ、自分をとらえることはできない[25]。

しかし本書で僕が『女中たち』を取り上げるのは、こうしてバタイユに理解されるジュネの全体像とは異なるところで本作を読解することができるように思えるからだ。言い換えれば、バタイユが述べるような霊的交通を具体的に理解するためのモデルとして、この作品を考えることができるように思えるのである。

『女中たち』の最期

本作の物語は「奥様と女中」ごっこだけで構成されているのではない。その続きを見てみよう。

劇中劇を演じる二人の役者、女中たち、クレールとソランジュという姉妹。しかし奥様が帰宅する時間となり、目覚ましの時計の音で現実に連れ戻された二人は言い争いつつも遊びの片付けを開始する。続けて観客が明確に知ることになるのは、女中たちの偽の告発によって、雇い主である旦那様が逮捕されていることだ。しかし後片付けをしている家に、旦那様から電話がかかってくる。罪の疑いが晴れて仮釈放されたというのだ。そして二人の女中たちが、自分たちの虚偽の告発が明らかになる可能性を考え、動揺していると奥様が帰ってくる。

奥様が帰ってきた後のシーンは、本作において主題となっている「演技」の、ごっこ遊びとは別の様態が実践されている点で重要だ。奥様は、逮捕された旦那様のことを想う「悲劇のヒロイン」であることに酔いしれているのである。つまり奥様もまた、ひとつの演技を行っている。それは劇中劇ではなく、多くの人々が普段行っているような、あくまで日常的な「そうでありたい自分」の演技である。そして女中たちもまた、先ほどの後片付けのシーンとはうってかわって「女中」として振る舞う。つまり冒頭のシーンが非現実のなかでの演技であるのなら、今度は生活的な現実のなかでの演技の多層性が描かれる。自分たちのせいで逮捕されている旦那様に取り残された（まだ仮釈放のことを知らない）奥様に、あくまで女中として、二人は同情しなくてはならない。

だが二人の虚偽が明らかになったら、今度は二人が逮捕されてしまう。そこで二人は毒入りの菩提樹茶での奥様の殺害を試みるのだが、その企ての途中でソランジュは旦那様の仮釈放の件を奥様に伝えてしまう。すると菩提樹茶を飲まないままの奥様は、旦那様との再会のために家を飛び出してしまうのだった。

そして最後のシーン。家に取り残された二人は大喧嘩する。殺害の失敗を互いの過失として責め立てながら。しかし、そのなかでクレールは女中服の上に奥様の白いドレスをまとう。

クレール　クレールかソランジュか知らないけれど、お前、わたくしは苛々してきます……だって、わたくしにはどっちがクレールでどっちがソランジュだか、区別がつかないのだものね、お前、苛々してきたわ、わたくし、このままだと怒(おこ)りだします。だってそうでしょう、わたくしたちの不幸は、すべてお前の罪なのだもの。

ソランジュ　言えるものならもう一度言ってごらんなさいまし。[26]

クレールは、ソランジュにクレールを演じるように迫り、二人は「奥様と女中」ごっこを再開する。つまり先ほど失敗した奥様の殺害という劇中劇を再び行うことで、奥様としてのクレールの殺害を企てるのだ。

そしてとても長いセリフの後で、奥様を演じるクレールは、クレールを演じるソランジュに勧められるかたちで、毒入りの菩提樹茶を飲み干すのだった。

毒を飲む直前のクレールの言葉は、二人であることの究極的なあり方を示すものである。

クレール　［中略］あたしたち、やっとここまでたどり着いたのよ。行くのよ、結末まで。姉さんは一人っきりで、二人分の人生を生きるの。ものすごく勇気がいることよ。誰にもわかりはしない、徒刑場であたしがこっそり、姉さんについて来ているなんて。それから、いいこと、姉さんが判決を受けるとき、覚えていてね、姉さんの体のなかにあたしを抱えているってことを。[27]

こうしてクレールは毒を飲んで死んでいく。幕が下ろされる。クレールは自ら死ぬことで奥様を殺し、そして姉妹間の尊属殺人として死刑に処されることになるであろうソランジュをも殺す。しかしソランジュは一人で死ぬのではない。奥様を演じながら死んでいくクレールを見守るのは、クレールを演じたソランジュなのだ。だからこそ「姉さんの体のなかにあたしを抱えている」などという台詞が告げられるのだ。

こうして本作は、二人であることが、ひと組の姉妹が、詩的に回転しながら混ざり合って境界を失っていくことで生じる最も驚異的状況を描き出すのだ。僕には、こうした物語こそが、バタイユの考える霊的交通のひとつのあり方に思えてならない。

『文学と悪』でバタイユは述べた。

> 霊的交通の理念とは、当然、霊的に交通する人間がふたりもしくはそれ以上いることを意味するが、すくなくともひとつの霊的交通が成立しているかぎりでは、それらのひとたちがおたがいに平等であることを要求する。[28]

たしかにジャン・ジュネという作家は、自らの自尊心ゆえに、読者との関係においてはその平等を達成できなかったのかもしれない。しかし少なくとも『女中たち』におけるソランジュとクレールは、「雇い主の不在」という一時的な祝祭の時間において、悪を、禁止の侵犯をなすなかで、霊的交通を実践したのだ。彼女たちの悪は「女中たち」にのみ可能な至高性である。

そして、霊的交通を、書き手と読み手のあいだで可能にする枠組みこそがラブレターなのだ。もしも自らの自尊心のために書かれたラブレターなどというものがあったなら、それはまったく意味をなさないだろう。

しかし二人の平等において、ある禁止が侵犯されるとき、一時的に犯罪が許容されるとき、可能かもしれない至高性のために言葉を選ぶ時間。それは「ラブレターの書き方」のひとつのモデルである。なぜならラブレターは、霊的交通を可能にする最小人数である「二人」の、その平等において禁止を侵犯する営みだからだ。

私たちは、ラブレターによって、自分ではなく、二人のための私的領域を詩的に開拓する。ラブレターとは愛する相手の唇によって首元に付けられたキスマークの、あの内出血のような悪なのだ。それは無際限ではない。

二人であることの病い

最後に『女中たち』において見出される霊的交通によって想起される「ラブレターの書き方」に名前を与えたい。それは「二人であることの病い」である。この言葉は『女中たち』の着想源となった（であろう）ひとつの事件から導き出されたものだ。

まず「二人であることの病い」という言葉は、ジャック・ラカンの若き日の論文「パラノイア性犯罪の動機」のなかで登場するものである。この論文でラカンが対象としたのはひとつの事件であり、それは『女中たち』の主題と同一のものである。

ラカンの論文が取り扱うのは、1933年にクリスティーナとレアからなるパパン姉妹によって引き起こされた猟奇殺人事件だ。女中として働く姉妹は、雇い主である資産家の妻と娘を殺害した。クリスティーナは28歳、レアは21歳であったという。

この事件については、専門家から様々な意見が寄せられたそうだが、ラカンがこの文章を発表したのはシュルレアリスム周辺の詩人や美術家たちによる雑誌『ミノトール』だった。そのため彼のテクストは、その後作家たちに影響を与えることになる。

ある日、姉妹は雇い主の外出中の家でアイロンの扱いを誤って停電を起こしてしまう。雇い主である主人達は、これまでもちょっとした事柄にひどい不機嫌をあらわにしていた。そうだとしても、姉妹による攻撃は「突然であり、同時的であり、一挙に憤激の絶頂へと達した」[29]。

その様子についてのラカンの記述は以下のようなものである。

姉妹はそれぞれ一人の敵へつかみかかり、犯罪史の上でも前代未聞のことと言えるが、生きたまま両の目を眼窩からえぐりとり、敵を打ちのめす。ついで、手近なところにあったハンマー、錫の酒壺、包丁などをつかって、相手の体を攻撃し、顔をつぶし、さらに、陰部を露出させて、一人の腿と尻を切りつけ、その血をもう一人の腿と尻になすりつける。彼女たちはそのあとこの残虐な儀式の道具類を洗い、自分たちの身体を浄め、そして同じベッドに横たわる。《ひどいことをしちゃった！》これが彼女たちの交わした文句であるが、それは血みどろの饗宴にひきつづく目ざめのしるしを告げているようで、いっさいの感情を欠いていた。[30]

ジュネの『女中たち』と異なり、姉妹は雇い主を直接的に攻撃している。だが二人のあり方については、ジュネの戯曲と似た要素も見つけることができる。

まずラカンは、二人は、自己処罰性パラノイアではない、と述べる。パラノイアとは偏執病とも訳される精神病のひとつで、ひとつのテーマから連想するように妄想がひろがり、場合によっては周囲とのトラブルを引き起こすものである。この妄想の解決のために自罰がなされることもあるし、究極的には自殺が選択されることもある。それが自己処罰性パラノイアだ。しかしパパン姉妹の事件はそうではない。自分たちではなく雇い主への攻撃に出ているのだ。

二人の供述を読んだローグル博士は「同じものを二つ読んでいるようだ」と述べたという。パパン姉妹という心理的カップルは、後のラカンが考案する「鏡像段階」を鏡合わせにしたような無限退行的な状況に置かれていた。

子供ははしゃぎながら、〔自分のものとして〕引受ける像の動きと、鏡に写るその周囲との関係、つまりこの虚像的な複合とこれが裏づける現実——それが自分自身の体であれ、人間であれ、さらには自分のそばにあるもろもろの対象であれ——との関係を体験するのです。[31]

鏡像段階とは、身体の視覚的な統一である。鏡に映る自分の姿を見た幼児は、バラバラに機能している自らの身体の統一されたイメージを視覚によって先取りする。例えば「お腹が空いた」と「足の裏がかゆい」というバラバラな知覚が、ひとつの身体において生じていることを理解するためには「私の身体」というイメージが必要である。ここで先取りされた私のイメージこそが「自我」と呼ばれるものだ。こうして鏡像を他者（autre）として利用しながら自我を構築するプロセスを鏡像段階と呼ぶ。そのため「鏡像」とはひとつの例えであり、鏡に映った像に限らない他者一般を意味する。

つまり精神分析学的には他者のイメージが自我なのだ。しかし他者だけでは自我を安定させることができない。そこで「大文字の他者」と呼ばれる、法＝言語をもたらすような絶対的な「他者」が鏡像段階には必要となる。そうして想像的な小文字の他者（イメージ）と、象徴的な「他者」（法＝言語）を介して人間は「主体」を獲得する。[32]

しかしパパン姉妹においては、他者と自我、主体による交叉的な関係を、鏡像段階を合わせ鏡にするかのように構築してしまったのだ。それは『女中たち』における「奥様と女中」ごっこを想起すれば容易く理解できる状況だろう。他者⇔自我／主体ではなく、「大文字の他者＝小文字の他者＝自我＝主体」としての鏡像段階。それこそがパパン姉妹という心理的カップルである。

パパン姉妹においては、隠喩は文字通りの現実へと変化し、現実が隠喩になるような状況が作られていた。「目玉をえぐってやりたい」というような、文字通りには受け止められないような暴力の隠喩が、二人のあいだではそのまま受け止められるのである。その原因は、鏡像段階の破綻に見出すことができるし、そうして二人の悪は際限なく膨張してしまった。

言い換えれば、自己処罰性パラノイアと鏡像段階を蝶番するかのようにこの事件が存在していることが重要である。つまりパパン姉妹においては自己処罰性パラノイアも鏡像段階も破綻しているのだが、結果として自他の境界が失われることで、他者への攻撃が開始される。それこそが「二人であることの病い」だ。

パパン姉妹は二重の現実、つまり「二人であることの病い」を殺人を通じて解消するしかなかった。この病いは、パパン姉妹と『女中たち』のどちらにも見出すことができる。

だがジュネの戯曲においては異なる結末に至る。そこでクレールは奥様を演じることで自分であることを辞めながら自殺し、さらに「ソランジュによって演じられたクレール」という形でソランジュと共に生き延びるのだ。つまりパパン姉妹が鏡像段階を向き合わせたかのような無限退行の、出口のない、二者関係の閉じられた世界を構築したのに対して、『女中たち』は回転装置のように運動を続ける何層もの「演技」を通じて二者関係から脱出するためにこそ「二人であることの病い」が用いられているのだ。

私たちはパパン姉妹の事件と『女中たち』を通じて、二者関係の二つのあり方を通じて、二種類の「二人であることの病い」を考えることができるのだ。前者は隠喩が現実になり、現実が隠喩になるような破綻した鏡像段階、つまりイメージと言語、想像界と象徴界が溶け合った鏡像段階への閉じこもりであり、後者は四重の演技を通じて到達されるイメージと言語が切り分けられた解放としての「二人であることの病い」である。

つまりここまで考えてきた「二者関係」に潜む危険とは、溶け合った鏡像段階へと私たちの思考を閉じ込めることである。具体的に言えば、パパン姉妹のような心理的カップルだと思い込んで、二人のあいだでだけ了解される法（象徴的な秩序）があると思い込んで（実際は存在しないのに）、二者関係のなかに埋没していくことこそが「病い」なのだ。これが二者関係がもたらす危険な状態である。

つまり第二章で語ったように、ラカンの症例報告とは異なり、寺山修司の手紙がラブレターとして成立するのは、隠喩と現実の差異を理解した上で「彼女の動作で／私の生活を書く」からだろう。寺山と九條の恋愛において、溶け合った鏡像段階は、フィクションであることの演技を通じてなされる。それは恋人の寝顔を撮影して寝起きに見せるような無邪気さで、それ自体をひとつの演技として遊戯的に乗りこなすことにおいて実現されているのだ。そのなかにあまりにも強烈な二者の統一、あるいは一方の暴走があるとしても、それは韻律や演技を通じて遊戯へと移行し直す。

ラブレターにおいて私は消滅し、そして生まれ直すのだが、二人だけの閉じられた世界を遊戯的に乗りこなすことで、二人の世界を成立させる〈法〉を劇的に変更することができる。その実践として寺山と九條の離婚、つまり別の〈法〉への移行は捉えられるべきだし、ここにあるのは〈法〉の詩的回転なのだ。この可能性において、僕は詩に惹かれる。

6-2 見えるものと、見えないもの

天国と地獄の共存

ここまで多様な議論を行ってきた。その上で、最後に触れるのは現代の日本でなされる詩人たちの試みである。それは iPhone 発売以降の、つまり今日の私たちの生と、「二人であること病い」の可能性にかかわる。

まず現状理解のために、最果タヒが２０１８年に出版した詩集『天国と、とてつもない暇』に所収された「白の残滓」という詩を取り上げたい。それは私たちの生の前提を端的に表現したものだ。

それは以下の一節からはじまる。

凍っていくように目が覚めたい。
光が白いのだから、
それは冷たくあってほしい、
どこかで自分一人が暖かいのだと、信じていたくなる。[33]

1行目において想像されるのは、身体が「凍っていくように」冷たくなる様子、つまり

死のイメージであると同時に、「目が覚めたい」という生への欲望の二重性である。

続く3行目は、述部によって理解される一文の終わり（「ほしい」）と同期して改行されながらも、文の終わりを超えて連続していくかのように読点（、）が与えられている。その形式的な連続性と不連続性の交配によって、白い「光」という視覚情報と、「寒／暖」という皮膚感覚からもたらされる情報や「生／死」を、詩中の身体を介して、シームレスに接続することに成功しているのだ。

このように共存し得ない二項対立をアンビバレントなまま二重性へと変奏し、一文に共存させる操作自体は、詩においてとくに珍しいことではない。むしろ問題はそれがどのような意図と目的に基づいて実践されているかである。

それはこの詩の後半において明らかになる。以下、再び引用を行う。

真夏の部屋にはクーラーがついていて、
まぶしさと寒さがやっと釣り合う、
こんなふうに簡単に、天国を再現してしまって、
あとは行くところが地獄だけになるのではないかなあ、
幸福な人はそう思うそうです。[34]

繰り返される改行のなかで連続した長い一文によって、先ほど引用した冒頭部の「寒／暖」や「生／死」といった二項対立が二重性へと変奏された様子が、「天国／地獄」という異なるモチーフによって読者に刷り込み直される。

さらに、後半の3行を読み進めながら、今読んでいる文が間接話法であることに読み手が気がつくなかで、詩中主体の位置が揺らいでいく。つまり「地獄だけになるのではないかなあ、」の後で改行されて上方へと眼球が運動し、「幸福な人はそう思うそうです。」と続くことで、読み手は口語の発言（＝文）を聴く（＝読む）主体から、「誰かの発言を聴く＝読む詩中の主体」によって語られた噂話を聴く＝読む主体へと後退する。こうして読者は目の前の言葉から、二重に隔てられた場所へ連れ去られる。

そして読者が眼前の言葉から隔てられていくプロセスは、その後の展開によって、ひとつの生のあり方の提示へと紐づけられることになるのだ。

大丈夫、窓に近づくと蒸し暑く、私はガラスに手をつけて、
向こう側の私と、半分ずつ祈りを捧げている、
やわらかい体、だということを私は知らない、
硬質なつもりでこの時間をつきぬけようとしている、
その先にあるものが、新生児の私、また、やり直しの人生だとしても。[35]

「ガラスに手をつけて」という一節が「iPhoneの画面に触れること」のメタファーであることは、最果タヒの読者にとっては自明である。なぜなら、彼女は自身のソーシャルメディアアカウントにiPhoneのメモ帳機能を用いて詩作を行う様子を繰り返し公開しているだけでなく、この詩の初出はインターネットへの投稿であるからだ。[36] ガラスに手をつける、つまり指先で撫でることで生成されていく言葉。それが改行や句読点、間接話法を通じて、詩中主体と読者の位置を様々に変化させていく。

先の引用ではガラスのこちら側、つまりクーラーで冷やされた空間を「天国」、ガラスの向こう側の灼熱を「地獄」であると述べていた。しかしここでは「ガラス」の「向こう側」にも「私」がおり、「半分ずつ祈りを捧げている」。

ここで最果による日本語操作がアクロバティックな機能をしていることが明らかになる。つまり日常的な文法に従うならば「向こう側の私と、半分ずつ祈りを捧げている、やわらかい体、だということを私は知らない」をひとつの組み立てられた文章として読むこともできるだろう。しかしそれは改行によって阻害される。一連の言葉は、先ほどの間接話法のように、言葉を発する主体の揺らぎを見逃すまいと努力する読者の集中力によって、そこに読点（、）がある限り連続して、意味と発話主体の確定が先延ばされるのだ。つまり発話主体を永遠と保留しながら、詩中主体と一緒にたゆたう時間を読者は過ごすこととなる。

こうして読者は句読点と改行、そして発話主体と文の関係という、３つの異なる文法的な意味の切断によって、日本語を日本語のままに読むことができなくなる。目の前の言葉からの疎外。そして三重の意味の切断に晒された読者の意識は「硬質なつもりでこの時間をつきぬけようとしている、」という言葉に至る。まるで意味の理解を諦めて日本語の連続を、やわらかい身体を捨てて言葉の連続という時間を、たんに目で追うことを勧められているかのようである。しかしこの長い一文はまだ終わらない。なぜならそこには再び読点が打たれているのだから。

その後に続くのは「新生児の私、また、やり直しの人生だとしても。」という句点、文章の終わりである。ここでついに句読点においても、改行においても、ひとつの文章が終わりを迎える。しかしその終わりは、再度はじまり直すことを示すかのような「だとしても。」で結ばれるのだ。

これによって読者は詩中主体、つまり詩のなかに記述された「私」と、間接話法によって暗示された「誰か」が、「やり直しの人生」において同一である可能性に気がつく。私が「新生児の私」と言うとき、そこにある超時間的な私の二重性こそが、「白の残滓」に託された生のあり方なのだ。

以上のような複雑なプロセスは、韻律やリズムではなく、句読点や改行、主体の位置がバラバラに並走することで詩として、つまり非日常的な言語として展開される。「白の残滓」で最果タヒが表現したのは、生と死や視覚と触覚（＝寒／暖）といった複数の二項対立を、ガラスのこちらと向こうに同時に存在できるような「やわらかい体」によって二重性へと変奏してみることである。しかしそれ自体は「私が知らない」ことだ。だからこそ「硬質」な体の「つもり」で「つきぬけようと」する。

インターフェイス的主体

こうした詩において iPhone のスクリーン＝ガラスが想起されることは重要だ。[37] なぜなら、「白の残滓」は、iPhone のインターフェイスについての記述として理解することができるからだ。

iPhone は、２００７年初頭にアップル社が発表した携帯型情報端末であり、それ以降の社会で片面が大きなタッチスクリーンで覆われた「スマートフォン」が流通するきっかけとなった革命的なデバイスだ。その商品発表の際に、当時のＣＥＯであるスティーブ・ジョブズは以下のように述べている。

あなたは音楽に触れることができるようになったのです[38]

こうした発言は、ジョブズが繰り返し述べてきた彼の個人的な幻覚体験と関係づけて理解することができるだろう。彼は、高校生の頃にＬＳＤという幻覚剤を摂取した際の体験を繰り返し語っており、それは彼の生涯を描いた映画においても象徴的に描き出されている。[39]

突然、麦畑がバッハを奏でるんだ。あんな素晴らしい経験はじめてだった。麦畑のバッハで指揮者になった気分だったよ。[40]

若きジョブズが体験した指揮者の身体とは、その指先の動きによって、オーケストラのテンポやメロディを触覚的かつ直接的に操作する身体である。ここで重要なのは、指揮者として麦畑で幻想のオーケストラと対峙するとき……そこにはマウスやスクロールホイール、複数の重なり合うウィンドウといった、対象との関係を間接化させるインターフェイスが存在しないことだ。目を閉じても続くようなトランス状態において「見えるもの」と「見えないもの」のずれは忘れ去られる。

そしてｉＰｈｏｎｅにおける巨大なタッチパネルは、こうした彼の青年期の夢を実現するものとして説明されたのだ。だからこそ「音楽に触れることができる」などと述べられた。それは最果が、複数の二項対立の、その境界線を超えて同時存在するものとして描き出した「私＝新生児の私」のようなものとして理解することができるだろう。

批評家の東浩紀は著書『サイバースペースはなぜそう呼ばれるか＋』において、「見えるもの（イメージ）」と「見えないもの（シンボル）」、その双方に同一化することによって、そしてその「ずれ」を認識することによって、人間の主体が成立すると記している。[41]

1990年代後半の論考が中心となった本書で東が着目するのは、iPhoneではなく、GUI（グラフィカル・ユーザ・インターフェイス）が採用されたパーソナル・コンピュータのスクリーンだ。そこではイメージとシンボルが双方とも可視化されている。例えばカーソルや「ゴミ箱」アイコン、映像ファイル、ゲーム画面という多様なイメージは、複数のプログラミング言語と同時に同一平面上に表示することができる。つまりパーソナルコンピュータにおける最も重要な視覚的機能のひとつである「重なり合う複数のウィンドウ」は「イメージの操作」と「シンボルの生成」というコンピュータ操作の二つのモードをひとつの平面（＝モニタ／スクリーン）の上に同時表示することを可能にしたのである。東はその二重化された過視的な平面＝スクリーンに依存するポストモダンの主体として「インターフェイス的主体」を定義した。

それまでの絵画や映画は「見えるもの」として描き出され、映し出された対象の向こうに「見えないもの」としての意味や宗教的神話、作者の意図などを透かし見ることを人々に要請した。この要請こそが「見えるもの」と「見えないもの」を紐づけさせ、それによって私たちの主体の成立を可能にしていた。これに対して、パーソナルコンピュータは、すべてが平面上で可視化されている。だからこそ、そこにある主体をそれまでのものと区別するためにインターフェイス的主体という語が登場する。

しかしiPhoneをはじめとしたスマートフォンは、複数のウィンドウを持たない単一のスクリーン上で、すべての操作を行う。結果として、そこでは「見えるもの」の向こうに／横に「見えないもの」があることが忘れ去られるのだ。インターフェイス的主体すら成立しない。だがそれこそが麦畑の幻覚体験のなかでジョブズが抱いた夢なのだと言うことができる。「あなたは音楽に触れることができる」と述べるとき、それは最果タヒが「白の残滓」のなかで「向こう側の私と、半分ずつ祈りを捧げている、／やわらかい体、だということを私は知らない、」として二重化されながら自分が半分であることを「知らない」のと同じように世界を触覚的に単純化する。

ビッグ・フラット・ナウ

こうした議論は、英語圏でもなされている。例えば建築家で批評も行うジャック・セルフが、2018年にファッション雑誌『032c』において編集した特集「ビッグ・フラット・ナウ」では以下のようにiPhoneについてまとめられている。

> 昨年11月にアップルがiPhone Xを発表したとき、それは私たちの時代の本質を表す宗教的なメタファーを作り出した。ホームボタンと、かつてスクリーンを囲んでいたフレームを取り除くことで、携帯電話の画面は無限のひろがりを持つようになったのだ。画面とそれを取り巻く世界のあいだに、もはや境界線はない、というメッセージは明確だった。[42]

無限にひろがるような画面によって失われた境界線とは、東がパーソナル・コンピュータに対して90年代に指摘したような「見えるもの／見えないもの」のズレだと言えるだろう。ジャック・セルフが自ら寄稿したテクストでは「ナウネス」と「フラットネス」、つまり今性と平面性という言葉で現状の文化的生産の結果おとずれる「ビッグフラットナウ」を分析する。そこではまさに境界の消去が二つの生産手法によってなされることが指摘された。

「ビッグフラットナウ」を可能にする手法とは、端的に述べて、インターネット黎明期には別々に存在していた「マッシュアップ」と「リミックス」の同時の両立（being both at once）である。

マッシュアップとは「予期せぬ二つのものが並んで現れる斬新さ」であるとともに「ポップカルチャーに介入する擬似的なカウンターカルチャー的行為」である。つまりまったく異なる文脈にあるイメージを乱暴にコラージュすることで、それらの文脈を衝突させる批評的カウンター、それがマッシュアップだ。一方で、リミックスとは「時代精神について の対話」だとされる。つまり過去あるいは現在において既に存在する作品や事象を読み解きながら、リスペクトと共に独自の解釈を加えて世に送り出すことがリミックスである。

マッシュアップとリミックスが同時に両立するというのは、右手でパンチを決めながら左手で握手するような状況である。この両立こそが、ビッグフラットナウの手法だ。マッシュアップとリミックスの同時両立は、ファッションブランドの Balenciaga によってリリースされたハイヒールなどに見出すことができる。人気メゾンである Balenciaga は、クロックスという陳腐なほどにありふれたサンダルに、ピンヒールをコラージュしたような奇妙なハイヒールを発売している。定価にして625ドル。通常のクロックスの10倍くらいの値段だ。このブランドは、ハイヒールというパーティ用ウェアに対して、靴下なしで近所のスーパーに行くために購入されるサンダルをぶつけた。しかし、これがマッシュアップなのか、リミックスなのかは判然としない。

実際、雑誌『Vogue』の記事では「人々はそれを見るのは嫌がり、そして愛した」と表現されており、「［美術館の］展示台にクロックスを載せたみたい」だと言う。[43]

まさにヒール付きのサンダルを嫌がりながら愛するような状況を可能にする、リスペクトなのかカウンターなのかも分からない文化的生産こそが「ビッグフラットナウ」と名指される状況だ。これはファッションだけでなくグラフィックデザインや音楽制作、アートフェアで高額売買される現代美術作品にも見出すことができる同時代的な特徴である。

こうしたビッグフラットナウ的な手法は、iPhoneによって取り払われた境界線、つまり「見えるもの／見えないもの」のあいだのズレが忘れ去られることで可能になる。そこでは歴史的で文化的な積み重ねよりも、もはやマッシュアップとリミックスの見分けがつかないようなかたちで既存の対象を蹂躙するような乱暴こそが称揚される。もはや人々は、自分がそれを愛しているのか嫌っているのかすら考えなくて良いような操作によって生まれた商品やコンテンツを欲望しているのだ。そこに主体はない。

「知らない」を知る

そして最果タヒの「白の残滓」において描き出された「私」とは、ビッグフラットナウ的に主体が消失していく状況を知らしめるものなのだ。

つまり「ガラスのこちらと向こうに同時に存在する私」であるところの「やわらかい体」

とは「ガラス＝ＧＵＩ」による二層構造に基づいたインターフェイス的主体だと理解できる。天国と地獄、生と死といった複数の異なる空間、「見えるもの／見えないもの」のズレを生きる私……。

しかし最果は、ガラスのこちらとそちらに同時に存在する「やわらかい体」を自身が持っていることを「知らない」のだと言う。そこでは「硬質な」体によって、その「ガラス」を、「この時間を」、「つきぬけようと」する。こうして「ガラス」はパーソナル・コンピュータにおける「ＧＵＩ」から、iPhoneの、境界のないタッチパネルへと置き換えられる。彼女は、その「知らな」さによって、二層構造の後のiPhoneの時代を定義する。我々はその「二層構造」を「知らない」のである。

そして知らないからこそ、マッシュアップとリミックスの同時共存が、ビッグフラットナウ的な主体性のない文化生産と商品需要が、可能になるのだ。

「やわらかい体」は、パソコンのスクリーンの上に構築される身体だ。そこで人間はひとつの主体、インターフェイス的主体を獲得することができる。だがそのことを「私は知らない」。しかし詩は続く。「新生児」に、「やり直しの人生」にいたらされるのである。ここにはビッグフラットナウ的な主体の消去に抵抗するヒントがある。つまりこの詩を介してここまでの議論を顧みると、それは「二層構造によるインターフェイス的主体を知らない」という問題に整理することができる。しかしたんに何かを「知らない」というのと、「知らない」と書き記すことの間には大きな違いがあることは明らかだ。我々は「知らない」を知る必要がある。

しかしそれは、天国と地獄、イメージとシンボル、好きと嫌いといった二つの異なる事象のズレを認識することを意味するのではない。むしろ二項対立も二重性も破綻した場所で、私たちは、何かを知らないことを知ることができる。そのためには、もう一人の若い詩人の作品を読む必要がある。

6-3　誤変換の恋人

それが水沢なおである。

水沢なおは1995年生まれの詩人で、第一詩集『美しいからだよ』で2020年の第25回中原中也賞を受賞、近年は小説も複数手がけている。人間だけでなく多様な生物たちによる種を超えたクィアな生殖や生活が描かれた作品で評価を集めている人物だ。

私たちにとって水沢なおの詩が重要なのは、彼女の詩が多様な生／性を描くとしても、それが徹底的な二者関係への踏みとどまりである点だ。そしてそのなかで、彼女は、二項対立とも二重性とも異なるところで言葉の運動を捉える。そこにあるのは、ジャン・ジュネの『女中たち』に見出されたような、豊かな詩的回転だ。

まず一篇の詩から、一部を書き抜いて見てみよう。

うん、わかった
言いたくないこと
揺さぶったこと
うん、
でも
返事がないなら
うんでは
だめだよ
うん、でも
うんでも
うんでも
うんでも
いいって

うん、でも
うんでも
うんでも
いいの

水沢なお「卯卯」[44]

ここで、水沢は「u-n-de-mo」という音のなかに複数の意味の分岐を導入している。まず「産んで」であり、さらに同意の「うん」、逆接の「でも」「も」である。水沢は、こうした誤変換的な表現をこれまでも多用している。

花はきれいじゃない
といい殴られたきみは
忘れられた稜線をなぞる
傾きかけた街のような目をする
それなのに
自分のことさえ助けようとしない
助けることができない

ともすればそれは

美しい
美しいからだ

そのきみが
美しいからだよ

水沢なお「美しいからだよ」[45]

第一詩集の表題作にもなっている「美しいからだよ」は、誤変換的表現が親しみやすいロマンスへと関係づけられるようで魅力的な作品だ。「ka-ra-da」という同一音が、モノを意味する「身体」と、理由を意味する「から、だ」へと分岐する。

この二篇で、水沢は、同一の音を持つ異なる意味（言葉）を、リズミカルに繰り返すなかで詩的回転に晒している。それらは実際に口に出されなくとも、口に出されるかのように読者の口内で反復し、反響することで、複数の意味へと拡散する。しかしそこにあるのは天国と地獄、生と死といった対義語的な二項対立の二重性への変奏ではない。むしろ『女中たち』におけるソランジュとクレールという姉妹の、同語反復的な交換可能性と等しいところで、水沢の詩は言葉を運動させる。

ここで重要なことは、読者の解釈によって複数の意味が無限生成されるのではなく、限定的だが複数的な意味の同時並列が、リズミカルな反復運動のなかでもたらされることだ。つまり彼女が行ったのは文字列の並び替えなしの静止的なアナグラム、しかるに「解体なしの組織」と「組織なしの解体」の同時並行なのだ。こうした誤変換的運動が理由と身体、あるいは合意と沈黙のはざまで「ka-ra-da」や「u-n-de-mo」を回転させ、意味を読み替えさせ続ける。

その誤変換的リアリズムは、二者関係を描きながらも生殖と出産といった性を疑い続ける水沢なお（とその作中人物）の思想の端的な現れとして読むことができる。

「ペルシャにね、一度だけ家に招待されたことがある。そこで、いろいろ話したの。今の身体になる前の話とか。帰り際、指で剝きたてのざくろをねじこまれた。唇がつぶれて、赤く腫れたよ。その時から、もうずっと、今日のことばっかり考えてた」
「知らなかった」
そう答えると
何かを思い出そうとして唇に触れた

「私たちのパパも、昔は女だったんだわ」

妹は私のとなりで初潮をむかえた

その訪れさえも

妹は知っているように思えた

「赤いかな」

「わからない、暗いから」

水沢なお「未婚の妹」[46]

「未婚の妹」における作中人物、生物たちは、出生時は雌なのだが、成長のなかで雄になる個体もいるという設定の作品だ。雌雄同体的な世界を描いた本作は、人間のようだが鱗を持った未知の生物たちによって進行する葬式と、性的接触の回想的描写によって構成されている。そのため読者は複線化した時間を経験することになる。それは散文といえば散文であるのだが、韻律に制限されない自由な行分けという現代詩のスタイルと鉤括弧によって括られた会話体を行き来しながら展開する。

水沢の詩について、詩人の田野倉康一は「際立って目につく会話体の詩行は、小説ではなく、演劇性を強く感じさせる」のだと述べている。[47] 一読して幻想的な世界観は、会話体だけでなく、「ホームセンター」や「蛍光灯」といった日常的な名詞の登場によって急激に演劇の書き割り、舞台セットを覗き見るような印象を強めてもいる。

大きい骨を収め終わると
どこからかぬるい女がやってきて
ホームセンターで売っているような
灰色のちりとりで粉まで壺に収めた
（シーシーシー）
（鱗が骨にぶつかる音）

水沢なお「未婚の妹[48]」

「（鱗が骨にぶつかる音）」は、演劇や映画の脚本における、台詞以外の音の演出指示のようでもある。だがその前に置かれた「（シーシーシー）」の位置付けは水沢らしい誤変換的なひろがりを持っている。

つまり、第二詩集『シー』における同名表題作の内容を踏まえてみるのなら「シー」とは、「彼女（she）」「見る（see）」「海（sea）」、あるいは内緒話をするために唇にひとさし指を当てて息を吹く際の歯間を通過する空気の音、または未知の生物の鳴き声を同時に意味する言葉として読むことができる。「未婚の妹」の冒頭で「大きな珊瑚礁の裏」「砂浜のように広がった骨」といった表現が続いているように、まさに海辺で葬儀を行う女性たちを描いた本作において、壺への納骨という死の共同体的清算の音が「シー」の誤変換的多義性へとひらかれているのだ。

しかるに「シーシーシー」は作中で書かれている通りに「鱗が骨にぶつかる音」の戯曲的指示として理解できると同時に、その死の清算がそのまま「彼女は海を見る（She see sea）」あるいは「海は彼女を見る（Sea see she）」への詩的な誤変換可能性を残す。こうした誤変換可能性が重要なのは、東浩紀が述べたインターフェイス的主体の成立根拠であった「見えるもの」と「見えないもの」のずれが介在することなく、同一位置で言葉が複数の意味へと分岐するからだ。「こちら」と「そちら」などといった空間的な隔たりを欠いたまま、変換候補としての意味の複数性が脳内を駆け巡る。そこに「見えないもの」は存在しない。

さらに水沢の詩にある誤変換的リアリズムは、ある種の書き割り的な越境性によって、たんなる言葉遊びであるだけでなく、読者たちの触視的なイマジネーションを活性化する。こうした誤変換的触視性、肉に触れながら風景を視るような想像力について、詩「アイリッド」はより深めた表現をなしている。アイリッド、つまり「まぶた」と題された本作は「私」

と「アルファ」の二者関係を描いた作品だ。

アルファのまぶたには穴が空いており、普段は銀色の輪で塞がれているが、塞がれていない日もある。「まぶたに空いた穴から、黒目が見えた。私が、見えているのかもしれない」。作中の「私」はそんなことを感じたりする。そしてアルファは語りかける。

「あなたはね、私のまぶたの穴なの。穴から生まれた、穴を塞いでいた肉の欠片から、あなたは生まれたの。わかる。わかってる」

私は、自分のまぶたを、触った。
そして親知らずの穴を、舌でまさぐった。
うめたいのかうみたいのかうめてほしいのかうんでほしいのか

水沢なお「アイリッド」[49]

ここで述べられたことを文字通り読むのなら、「私」は、アルファの「まぶたの穴それ自体」であると同時に「まぶたの穴から生まれた存在」である。つまり穴は、「私」の生誕の理由であると同時に、そうであるからこそ、すでに常に存在する現在の「私の生」と同一視される。それは「穴が空いているからドーナツなのか、ドーナツだから穴が空いているのか」という問いにも似た視点の回転である。つまり「穴から生まれた私」と「すでに常に空いている穴としての私」において、読者は「生まれること」と「生きること」の詩的回転のなかへと誘われる。

だから、あえて平仮名で表現された「うめたいのかうみたいのかうめてほしいのかうんでほしいのか」は、読者が意味の誤変換を行う可能性のために残された誤変換可能性なのだろう。なぜなら「u-me-ta-i」は、「埋めたい」と「産めたい」という2種類の願望へと誤変換的に分岐しているのだから。

「私は、あなたから、生まれたかった」
「おやすみ」
「お風呂に入ってくるから」
「おやすみ」
「私は」

誰にも告げず、明け方、浴槽に浸かると、白い糸がまとわりついてきた。ゆらぁっと苺のたねみたいに、繊維が種子から生えているみたいに。
私は口元まで水に沈む。

誰の精子なんだろう。
くちびるをめがけて伸びてくるその白い塊を、私は舌先で受け入れる。鼻水のような
それを、にゅるにゅると、上あごの穴へ引き入れて、目を閉じた。

水沢なお「アイリッド」[50]

そしてここで「私」は、アルファのまぶたの穴ではなく、自らの親知らずの穴に、誰のものかも分からない精子を押し込む。舌でたぐりよせながら口内の穴を触覚的に感じる「私」は、目を閉じる。

触覚だけが残された浴室を、読者は三人称的に見下ろすだろう。湯船に浮かぶ精子を舐め取る裸の「私」を見下ろしながら、その苦味やねばつき、白い湯気の湿度を自分のものとして想像する。そうして「私（＝作中主体）」の触覚と、私（＝読者）の視覚が結びつけられていく。この結びつきは「生まれること」と「生きること」の誤変換によって生じた「私」という詩的な回転装置によるものであり、この装置こそが先ほど述べた触視的なイマジネーションを可能にするのだ。

水沢なおの詩を読んでいると「生まれること」と「生きること」のあいだで、つまり「生」の予測変換のなかで、自分の居場所が分からなくなる。視ることと触ることの、「私」と私の、同意と否定の違いが分からなくなる。それは彼女の誤変換的なリアリズムによって

実現された詩的達成に思えてならない。

本作における詩的回転は、開いて／閉じる「まぶた」という身体部品の穴を、生殖的であると同時に生存的なイメージへと紐づけることでなされる。そのまぶたは「見えるもの」と「見えないもの」の対立やずれを融解させる。重要なことは、水沢なおの作品は「うめたいのかうみたいのかうめてほしいのかうんでほしいのか」と問いながら、父も母も不在の、子どもたちの世界へと足を踏み入れているように思えることである。

つまり彼女の描く雌雄同体的世界は、現代的なアイデンティティの生き方に関わるというよりも、そもそもアイデンティファイされた主体が成立しえない世界……つまり近代的な主体も、ポストモダンのインターフェイス的主体も成立しない、「見えるもの」と「見えないもの」が完全に一体化した後で、私たちに可能な生誕と生き延びの方法が示されているように思えるのだ。

そこにあるのは何ものでもない、ジェンダーやセクシュアリティの社会的分類自体が詩的に回転し続けることで生じたバターの、もはや過去・現在・未来の系列自体が破綻した世界においてなお可能な性／愛の、ナチュラルな描写である。それこそが水沢なおの詩の魅力だと思う。もちろん、今後も多様な作品を作るだろう「水沢なお」の読解は、より広範な視点でなされるべきだ。

しかしここで僕は、二人であることが、つまり「ラブレターの書き方」の目的地が、ひとつのモデルを得ることができるのではないかと思う。ジャン・ジュネの『女中たち』においで示された姉妹の相互交換可能性は「二人であることの病い」であった。しかしこの病いこそが、姉妹の生まれ直しと生き延びの技法でもあるのだ。姉妹は、互いのなかに自分自身を移入するゼロ距離のダンスのなかで死にながら一体化する。そうして生じる『新しい死体』……。

そうであるのなら、水沢なおの作品のなかに見出される誤変換的リアリズムは、代筆者なしの、つまりどのような存在にも代補され得ない恋人たちの、二人であるからこそ可能な「二人であることの孤独」をひとつの身体において成立させる「書き方」の提示なのだ。そんな世界まで到達することこそがラブレターの目的地である。それは一人きりの孤独における個の成立とも、複数の個によって構築される公共性や共同性とも異なるところで、恋人たちの分裂した世界を制作するのだ。

「恋人たちの世界」では、まぶたの穴が私を生まれ直させ、生き延びさせ、美しい理由と美しい身体が、出産と躊躇が相互に誤変換される。二者関係が引き裂かれながら、意味の分岐こそがリズミカルに新たな同質性を制作し、そこに生じる差異を、誤変換のなかで触視的に愛し合うことになる。「見えるもの」と「見えないもの」が完全に一体化していく。

複数の異なる空間が差異を保ちながら完全に同期する。開いていても閉じていても開かれたアイリッド（まぶた）。

涼しげな天国と、灼熱の地獄。それらを隔てるガラスの厚み……私たちの寝室を外界から隔てる、あの透明な板が、数万、数億年の時の流れのなかで少しずつ溶け出していくことを想像してみよう。そんな溶け出しが、急速に展開しながら、あなたと僕の二者関係を、そもそも「関係」ですら無くしてしまうような詩的回転を、僕は彼女の詩のなかに見出す。

そこでは、私の主体が消滅するのだとしても、私自体が消滅するのではない。「二人であることの病い」のなかで、私は、もう一度生まれ、そして生き延びていくことができる。生誕と生延（いきのび）が互いに誤変換されるような時間を過ごすのが「恋人たち」なのだ。もはや二人は出会うことがなくとも恋人同士なのである。そういうときにだけ、私たちは新たに言葉を書きはじめることができるのだ。

最後に、水沢なおが手がけた小説『うみみたい』を読んでみよう。作中では、卵生生物の生殖をケアする「孵化コーポ」でバイトする美大生のうみと、活発なアーティスト活動を行う同級生みみの二者関係が描かれた。二人はむむというキャラクターを一緒に作っているのだが、それは「山から生まれる」。手作りのぬいぐるみやＬＩＮＥスタンプ、Ｔシャツ、ステッカーとして、むむは流通している。また「うみ」「みみ」「むむ」「うみみたい」

といった日本語の扱いは、これまでの水沢なおの詩作におけるつまり誤変換的リアリズムから派生したものに思われる。

『うみみたい』では生殖や出産、性といった主題が複雑に取り扱われつつも、より日常的な世界観と言葉遣いで水沢らしい感覚が展開されている。しかしそうであるが故に、これまでの詩と比べると、誤変換的リアリズムは抑えられてしまっているのだが、作中に登場する美術作品が一篇の詩、あるいはラブレターとなっているのでそこに注目してみよう。

引用するのは、みみが参加した展覧会の様子を、うみが訪れるシーンである。展覧会は五階建ての廃ビルで行われたグループ展だ。キュレーターのテクストが載せられた展覧会マップを、入口で受け取ったうみは会場に入っていく。

> ひらけたフロアの中心に、大きな箱型の白いパネルが横たわっていて、そこに海が投影されている。ＣＧの海、やけに規則的な波、原始の海だろうか、なにかが結びつこうという気配のなか、そこに手のひらだけが、漂流物として現れる。それは、みみの左手だとすぐにわかった。
>
> わたしたちは手をつないだことがなかった
> 本当にひとつだったら

手をつなぎたいなんて思わない

だとすれば

私たちはすでにひとつだった

波が砂を引きずる音に混じって、そう朗読する声が聞こえる。近づこうと、触れようと、ひとつになろうとすると、映像のなかに自分の影が入って、途端に見えなくなってしまう。海から遠い場所でそれをただ見ていることを、近づいてはいけないことを、わたしは強制されている。みみによって、わたしはここに置かれている。

作品には《うみ》という題がついていた。

これは、わたしたちの関係性をもとにした作品だとすぐにわかった。みみの本当に言いたいことなんて作品を見なければわからなかった。[51]

引用中央の詩のような部分はみみが制作した映像作品『うみ』に付された朗読である。しかし「わたしたちの関係性をもとにした」と書かれているように、現代美術の展覧会という公的な催しのなかで、とてもプライベートな想いを表現した作品であることが示唆されている。つまり映像作品《うみ》は、本書で私たちが論じてきた「ラブレター」であると考えるのが自然な理解だろう。

『うみみたい』において、水沢は小説という形式のなかで、映像作品を、劇中劇や画中画のような文中文として機能させている。そしてこの映像作品の鑑賞後に生じるのは「みみの本当に言いたいこと」の理解だ。ここで理解される「言いたいこと」は、寺山修司が「海を書くのではなく／海で書きたい」と述べたのと同じように、作者によって一方的に成立させられたメッセージではない。あくまで相互的な出会い直しの場所として、みみの展示室は存在している。

また作中の朗読における「だとすれば」は奇妙なかたちで論理構造をねじ曲げている。作者であるみみは、自分たちが「手をつないだことがなかった」ことを根拠として「私たちはすでにひとつだった」と述べているのだ。だが「手をつないだことがな」いのは偶然的な過去の話であって、「ひとつになりたいから、手をつながないようにした」わけではないことは読者には一目瞭然である。ここには『魔法使いの弟子』においてバタイユが重視した運命の企てが、偶然こそを必然とみなす恋人たちの合意が、つまり政治家、学者、芸術家には不可能な恋人たちによる企てが、「夢の中の形象でしかなかったものが神話になる」ような制作が、作品の主要な要素として運用されているのだ。

みみは「だとすれば」という言葉の効果に賭けることで、うみとの関係性を瞬間的に読み替える。展覧会を通じて「恋人たちの共同体」が実現される。その読み替えは時間（会期）

も空間（会場）も有限化された展覧会のなかでなされることで、際限のない悪ではなく、あくまで限定的な悪として、至高性へと辿り着くための霊的交通となるだろう。

直後には、この映像作品がプロジェクターで上映されているため、うみが「近づこうと、触れようと、ひとつになろうとすると、映像のなかに自分の影が入って、途端に見えなくなってしまう」という対象との隔たりが記述されている。しかしこの隔たりにおいて、うみの影が《うみ》という映像作品の内部へと投入される。「手をつながないことで、ひとつになる」という乱暴な論理が、展示空間における光（映像）との出会いによって現実のものとなる。

こうした現実化は、美術において散見されるものだ。たとえば天使などの不可視の存在を絵画として描くことで、私たちと天使の関係を限定的な空間の内部（絵画空間）において現実化する試みは過去数百年にわたって試みられてきた。そうした現実化をビデオ・インスタレーションという枠組みにおいて実践するものとして《うみ》という映像作品を捉えることができる。だがそれは、なんらかの公的な目的のためではなく、私的な想いの表出のためになされている。

実際の現代美術が囚われている「大いなる公共性」と「個々の権利主張」への引き裂かれとも、経済的な利益の奪い合いとも異なるところで、みみの作品制作はなされているのだ。そしてみみの作品が小説のなかにしか存在しないことは、ラブレターとしての作品の居場所を示しているように思える。二者関係において相互的に交わされる私的な言葉、つまりラブレターを公的な空間に置き入れる挑戦は、過去のアーティストやキュレーターが十分に試みることができていたとは思えないものだ。ラブレターの公開のためには、ジャン・ジュネの『女中たち』において折り重ねられた虚構のようなものが必要なのだろう。その展示可能性の片鱗を『うみみたい』は示している。

これまでの水沢の詩作における誤変換的リアリズムがタイトルに反映された『うみみたい』において、みみの作品は、時間を逆行して因果関係をねじ曲げるような詩的操作を行った。その作品は、実際に展示されるにあたって用いられる機材（プロジェクターやスクリーン）の物理的かつ光学的な制約を活用することでラブレターの相互性を実現する。だからこそ、うみは、みみが「本当に言いたいこと」を理解する。そこで制作されたのは「運命」である。

寺山修司の短歌において前面化する詩的リズムは、ラブレターでは活用されなかった。それと同じように、水沢なおらしい詩的リズムと言える誤変換的リアリズムは、『うみみたい』の作中人物の名付けなどのメタな操作においては活用されつつ、その作中人物によるラブレター（のような映像作品）においては活用されない。むしろ日常的な「だとしたら」という言葉だけで、ラブレターの詩的回転装置としての効果は保たれるのだ。

そしてみみの作品を通じて、うみは詩的回転に晒され、これまでのように生きることができなくなる。これまでとは違う自分として生きるしかなくなる。因果関係が破綻して「すでにひとつだった」ことを知る。「知らない」を知る。

最後に小説のラストシーンを読んでみよう。

> 人気(ひとけ)のないパーキングに車を停めると、わたしたちは海岸に向かって走り出した、自分自身のかたちをなぞるために走った、海が見たいということと、人を愛したいということは、あの作品を見た瞬間から等価だった。人を愛したいのに、愛されたくないなんてずるいよ、裸足で砂を踏む、みみがうれしそうに笑っている、薄紫の目がきらきら光っている、**だとしたら**、その目でわたしのことを見ないで。となりで海を見ていて。[52]

ここでは、みみの映像作品を通じて詩的回転に晒され「海が見たいということと、人を愛したいということ」が等価となったうみの独白が綴られている。

ラストシーンは、先ほどの展覧会における《うみ》という映像作品の鑑賞体験をパラフレーズしたものとして読むことができる。まずここで重要なことは、みみの作品の「だとすれば」とほぼ同じ用法で「だとしたら」が用いられていることだ。つまり原因と結果の論理的な整合性が低すぎて、因果関係が破綻している。

うみは「その目でわたしのことを見ないで」と述べるが、そう思う原因はどこにあるのだろう。ひたすら読点（、）が繰り返されることで、主述の関係があいまいになりながら言葉が連続していく。うみは、みみの「薄紫の目がきらきら光っている」から、こちらを見ないでほしいのか？　「愛したいのに、愛されたくない」ことのずるさが、その理由なのか？

どちらも違うだろう。確かなことは「その目でわたしのことを見ないで」と断じていること、そして「となりで海を見ていて」と願っていることだけである。その願いは、二人が、ひとつであることのために捧げられるのだ。映像作品《うみ》において、二人の目線が交差しないことが、ひとつになることの理由になるのと同じように、二人の目線が交差しないことで、二人はひとつになるのだ。二人の目線は並行して、水平線へと向かっていく。それは交わらない。でもだから、二人は、「二人であることの孤独」を経験する。誰も邪魔することのできない徹底的な二者関係、社会から逸脱した「恋人たちの共同体」が夜の海岸でかがやく。

また引用部冒頭で、二人は「自分自身のかたちをなぞるため」に海岸に向かって走っている。それは過去の詩「美しいからだよ」において「忘れられた稜線をなぞる／傾きかけた街のような目をする」あなたが、「美しいからだ＝美しい身体」と表現されたのと同じように、つまり水沢に特有の誤変換的リアリズムによって二者関係が詩的回転へと巻き込まれていくことの、客観的な描写として読むことができる。

そもそも映像作品の《うみ》というタイトルは、海という惑星的主題と、作者（みみ）にとって大切な「うみ」という個人の名前を同時に意味するものだ。そして近づこうとして展示会場のスクリーンに投影されてしまった「うみ」の影のように、二人は、海に向かって走り出す。そうして海に向かって並行して走ることこそが、交わらないことこそが、二人の「かたちをなぞる」ことなのだろう。

もう一度引用しよう。

> 海が見たいということと、人を愛したいということは、あの作品を見た瞬間から等価だった。

こうして世界が再制作されるために……人々が詩的回転に晒されて、これまでと同じように生きていけなくなるような瞬間を「感動」と呼ぶのだと思う。そしてそれこそが、芸術の理由なのだと僕は考えている。

そうして私たちは、これまで経験したことのない孤独を経験する。そのための方法として僕は『ラブレターの書き方』を世に問いたいし、その孤独は、まずは「二人であること」の誤変換的リアリズムによってなされることができる。その可能性を水沢なおは教えてくれた。

未だ、すべてがサンプルである。しかしそれでも、「見えるもの」と「見えないもの」が一体化した焼け野原のような社会のなかで、「生まれること」と「生きること」の差異を超えて、なにかを愛する可能性を手放さないために本書における議論が役立てば幸いだ。そのためのサンプルは、無数に用意した。

次はあなたの番である。

あなたがラブレターを制作するのだ。あなたの手で「二人であることの病い」を知り、そして「二人であることの孤独」を制作するのだ。その可能性はあなたの手のうちにある。だからまずは海を見にいくべきなのかもしれない。すべての恋人たちは、誤変換である。

あなたの人生には、あなただけの傷があると思う。それは他の誰かと共有できるものではない。しかしその傷を通じて、世界を作り直すことができる。そうして傷と共に生きることができる。それこそがこの世界に残された可能性である。

注釈

1 渡辺守章「解題」ジャン・ジュネ『女中たち　バルコン』渡辺守章訳、岩波文庫、2010年、426頁。
2 同書、37頁
3 ジャン・ポール・サルトル「『女中たち』」『サルトル全集〈第35巻〉聖ジュネⅡ』白井浩司・平井啓之訳、人文書院、1980年、336頁。
4 同上。
5 同書。
6 同書、337頁。
7 同上。
8 ジャン・ジュネ『女中たち　バルコン』35頁。
9 この詩的回転は、ヘーゲルによる「主人と奴隷の弁証法」の脱構築として理解することもできるだろう。G・F・W・ヘーゲル『精神現象学（上）（下）』熊野純彦訳、ちくま学芸文庫、2018年。
10 ジャン・ポール・サルトル「女中たち」340頁。
11 同書、344頁。
12 ジャン・ジュネ『女中たち　バルコン』15頁。
13 同書、40頁。
14 ジャン・ポール・サルトル「『女中たち』」348頁。
15 同書、349頁。
16 同書、351頁。
17 同書、354頁。
18 ジョルジュ・バタイユ『文学と悪』山本功訳、ちくま学芸文庫、1998年、279頁。
19 同書、322 - 323頁。
20 同書、274頁。
21 同書、307頁。
22 同書、322頁。またここまで参照した山本功の翻訳による『文学と悪』において「communication」は「霊的交通」

と訳出されているため、これを採用したが、異なる訳者は「交感」や「コミュニカシオン」とすることもあり、むしろ後者の方が一般的ではある。

23 同書、296頁。

24 同書、299頁。

25 同書、314-315頁。

26 同書、106-107頁。

27 ジャン・ジュネ『女中たち　バルコン』94頁。

28 ジョルジュ・バタイユ『文学と悪』298-299頁。

29 ジャック・ラカン「パラノイア性犯罪の動機」『二人であることの病い：パラノイアと言語』宮本忠雄、関忠盛訳、講談社学術文庫、2011年、96頁。

30 同上。

31 ジャック・ラカン『エクリ：上』宮本忠雄・竹内迪也・高橋徹・佐々木孝次訳、弘文堂、1972年、125頁。

32 片岡一竹『疾風怒濤精神分析入門——ジャック・ラカン的生き方のススメ』誠信書房、2017年、102-104頁。

33 最果タヒ「白の残滓」『天国と、とてつもない暇』小学館、2018年、84-85頁。

34 同上。

35 同上。

36 最果タヒ『最果タヒ——詩の展示』横浜美術館、2019年。この展示では、iPhoneの画面上で徐々に詩が書かれていく様子が、iPhone上で表示された展示物もあった。

37 2020年にアップルが発売した「iPhone12」シリーズ以降の画面は、ガラスではなく「セラミックシールド」という独自素材によって覆われることになったが、最果タヒが『白の残滓』を執筆した時点ではガラス系の素材が用いられていた。

38 2007年のiPhone発表のプレゼンテーションより。(https://www.youtube.com/watch?v=VQKMoT-6XSg)

39 映画『スティーブ・ジョブズ』ダニー・ボイル監督、2015年。

40 ジェフリー・S・ヤング、ウィリアム・L・サイモン『スティーブ・ジョブズ——偶像復活』井口耕二訳、東洋経済新報社、2005年、38頁。

41 東浩紀『サイバースペースはなぜそう呼ばれるか＋』河出文庫、2011年。

42 Thomas Bettridge and Lucas Mascatello "We regret to inform you that there is no future. Nor is there a past. Music, art, technology, pop culture, and fashion have evaporated as well. There is only one thing left: THE BIG FLAT NOW." 032c, 2018.7.16 (https://032c.com/magazine/big-flat-now-op-ed、最終アクセス２０２３年7月31日）翻訳は布施によるもの。

43 Liana Satenstein "I Wore Balenciaga's Ugliest Shoe Yet—And It Was Their Most Comfortable" Vogue, 2021.11.18.（https://www.vogue.com/article/test-driving-balenciaga-croc-heel、最終アクセス２０２３年7月31日）翻訳は布施によるもの。

44 水沢なお「卯卵」『シー』思潮社、２０２２年、73 - 74頁。またこの詩は筆者が企画した展覧会『沈黙のカテゴリー』（名村造船所跡地、２０２１年）においてはじめて発表された。

45 水沢なお『美しいからだよ』思潮社、２０１９年、52 - 53頁。

46 水沢なお「未婚の妹」『美しいからだよ』思潮社、２０１９年、10頁。

47 田野倉康一「肉体のリアル：「生」の不条理という条理」『美しいからだよ』思潮社、２０１９年、栞、2頁。

48 水沢なお「未婚の妹」8頁。

49 水沢なお「アイリッド」『美しいからだよ』思潮社、２０１９年、77頁。

50 同書、77 - 78頁。

51 水沢なお「うみみたい」『うみみたい』河出書房新社、２０２３年、91 - 92頁。太字強調は布施によるもの。

52 同書、97頁。太字強調は布施によるもの。

あとがき――作品からラブレターへ（コンテンツではない）

一冊の本を書くのがこんなにも大変だとは思いもしなかった。しかしそれでも20代のうちに本を出したいと思っていたから、とにかく書き上げることができてうれしい。もう言い残すことはないという想いと同時に、ここから語りはじめたいことが無数にある。そんな不思議な爽快感に包まれている。

冒頭でも記したように現代美術という産業のなかで活動する僕は、そこで感じた違和感をどうにかして解決したかった。それで本を書いた。かつて「作品」や「批評」と呼ばれていた営みがソーシャルメディアにおけるコミュニケーションのための「コンテンツ」になっていく現状が耐え難かった。だから「すべてをラブレターとして捉え直してみたらどうなるのだろう？」と妄想しながら、これまで取りこぼされてきた人間の営みに光を当てようと思ったのだ。しかし、その上で、現代美術を通じた出会いと対話がなければ本書を書くことは不可能だった。アンビバレントだが、僕は、現代美術が存在する時代を生きていて良かったと思っている。

最後にひとつの作品の話をしたい。それは僕が2021年に制作した《いつまでも明け続ける夜のなかで》というものだ。このタイトルは、そもそも『現代詩手帖』という雑誌にエッセイを寄稿することを依頼された際のテクストに付けたものだった。しかしその後で熱海のホテルで滞在制作することになって、僕は同名の作品を作った。本書のなかで紹介したウェブページ《あなたの時計》と同時期のことである。

《いつまでも明け続ける夜のなかで》は、自分の書いたラブレターの朗読を、日出と日没の瞬間にだけ流すものである。展示会場は使われなくなったバスの待合室だった。それは見晴らしの良い崖の上に立っていた。広大な海を見渡すのに邪魔するものは何もないのに、あんまり高い場所だから、潮の匂いがしなくて不思議な場所。そこで何篇かの詩も書いたのだが、それらは『涙のカタログ』という第一詩集に収録されている。

朝になって海の向こうから顔を出した太陽は、水面に光の道を作って、展示会場をうっすらあたためていく。夜になると、返信をくれない想い人の眠る東京に向かって太陽が沈んでいく。そうして太陽が地平線と重なり合う時間だけ、2分11秒間だけ、毎日自分のラブレターを流す。それだけの作品だ。

それが本人に聞き取られることはない。そもそも展覧会としてのオープン時間外に再生されることも多かったので、多くの鑑賞者が作品を見逃してしまったと思う。それでも意味を把握することのできない個人的なメッセージが、機械的に流れる状況を作りたかった。自分の恋心を、惑星的な、あるいは機械的な運動と関係づけることで、訪れることのない返信を自主制作したかった。そうして不可能な世界が現象する瞬間に立ち会いたかったのである。念の為、何が起きているのかを説明する張り紙だけはしておいたけれど、それが「現代美術として」作品になっているのかは分からなかった。なぜなら人々が立ち会うことができるのは、何かが不在である、という乾いた風だけだからだ。

だが本書を書き終えた今は、展覧会という公的な催しのなかで、とてもプライベートな想いを理由とした作品を展示することに現代美術を含む芸術の可能性を感じてもいる。それは近年の現代美術が体現する現代社会の地獄のなかで、それでもすべての人々が制作を続けるために、「二人であることの孤独」を謳歌することの希望である。それは自分語り、私的告白の対極にある芸術だ。

ひとつでも多くの秘密が花開く世界のために、僕の活動が役立てば、と思っている。水が流れたから濡れた、みたいに真っ直ぐに心のなかに何かが染み込む時間を作りたい。そのための旅は続く。

本書はひとつの提案である。だから誰でも批判して良い。間違いを指摘して欲しい。一方で、僕は、僕に言葉をくれた「あなた」に心から感謝している。たくさんの顔と名前を持つ「あなたたち」に。

2023年10月

布施琳太郎

布施琳太郎（ふせ・りんたろう）

アーティスト。1994年生まれ。東京藝術大学美術学部絵画科（油画専攻）卒業。東京藝術大学大学院映像研究科（メディア映像専攻）修了。スマートフォンの発売以降の都市における「孤独」や「二人であること」の回復に向けて、社会を成立させる日本語やプログラム言語、会話などを操作的に生成し直すことで、映像作品やウェブサイト、絵画、ボードゲームなどの制作、詩や批評の執筆、展覧会のキュレーションなどを行っている。
主な活動として個展「新しい死体」（2022／PARCO MUSEUM TOKYO）、廃印刷工場におけるキュレーション展「惑星ザムザ」（2022／小高製本工業跡地）、600ページのハンドアウトを片手に造船所跡地を巡る展覧会「沈黙のカテゴリー」（2021／名村造船所跡地〔クリエイティブセンター大阪〕）、ひとりずつしかアクセスできないウェブページを会場とした展覧会「隔離式濃厚接触室」（2020）など。参加展覧会に「時を超えるイヴ・クラインの想像力」（2022／金沢21世紀美術館）など。『文學界』『美術手帖』『現代詩手帖』『ユリイカ』への寄稿をはじめとして執筆活動でも注目を集める。受賞歴に、平山郁夫賞（2022）、第16回美術手帖芸術評論募集「新しい孤独」佳作入選（2019）。Forbes JAPAN 30 UNDER 30 2023「世界を変える30歳未満」にも選出。2023年11月、第一詩集『涙のカタログ』（PARCO出版）刊行。2024年3月に国立西洋美術館はじめての現代美術展「ここは未来のアーティストたちが眠る部屋となりえてきたか？——国立西洋美術館65年目の自問｜現代美術家たちへの問いかけ」を控える。

–

装丁・装画＝八木幣二郎

ラブレターの書き方

2023年12月25日　初版

著者　布施琳太郎
発行者　株式会社晶文社
東京都千代田区神田神保町1-11 〒101-0051
電話03-3518-4940（代表）・4942（編集）
URL https://www.shobunsha.co.jp
印刷・製本　中央精版印刷株式会社

ISBN978-4-7949-7403-7　Printed in Japan